DÁ UM TEMPO!

Izabella Camargo

DÁ UM TEMPO!
Como encontrar limite em um mundo sem limites

principium

Copyright © 2020 Editora Globo S.A.
Copyright © 2020 Izabella Camargo

Todos os direitos reservados. Nenhuma parte desta edição pode ser utilizada ou reproduzida — em qualquer meio ou forma, seja mecânico ou eletrônico, fotocópia, gravação etc. — nem apropriada ou estocada em sistema de banco de dados sem a expressa autorização da editora.

Texto fixado conforme as regras do Acordo Ortográfico da Língua Portuguesa
(Decreto Legislativo nº 54, de 1995).

Editor responsável: Lucas de Sena Lima
Assistente editorial: Renan Castro
Preparação de texto: Andressa Bezerra
Revisão: Vivian Sbravatti e Jaciara Lima
Capa: Rafael Brum
Diagramação: Crayon Editorial

1ª edição, 2020
6ª reimpressão, 2025

CIP-BRASIL. CATALOGAÇÃO NA PUBLICAÇÃO
SINDICATO NACIONAL DOS EDITORES DE LIVROS, RJ

C177d

Camargo, Izabella
  Dá um tempo! : como encontrar limite em um mundo sem limites / Izabella Camargo. - 1. ed. - Rio de Janeiro : Principium, 2020.
  280 p.

  ISBN 978655567014-1

  1. Burnout (Psicologia). 2. Administração do stress. 3. Stress ocupacional. 4. Trabalho - Aspectos psicológicos. I. Título.

20-64077
CDD: 158.723
CDU: 159.944.4

Meri Gleice Rodrigues de Souza - Bibliotecária CRB-7/6439

Direitos exclusivos de edição em língua portuguesa
para o Brasil adquiridos por Editora Globo S.A.
Rua Marques de Pombal, 25
20230-240 — Rio de Janeiro — RJ
www.globolivros.com.br

Sumário

7   Apresentação — Dê-se um tempo...

11   Para quem é este livro

Parte I — Hoje

16   Capítulo 1 — Tempos mais que modernos

29   Capítulo 2 — Como chegamos até aqui?

51   Capítulo 3 — Obrigado pela informação que você não me deu!

58   Capítulo 4 — Quanto custa a sua hora?

Parte II — Saúde

70   Capítulo 1 — As doenças do tempo

90   Capítulo 2 — Um batalhão de pessoas doentes

101   Capítulo 3 — Tempo para dormir

111   Capítulo 4 — Diagnóstico não é sentença

122   Capítulo 5 — Tempo para filhos

Parte III — Percepções

- 136   Capítulo 1 — Percepções do tempo
- 147   Capítulo 2 — Chronos e Kairós
- 163   Capítulo 3 — Tempo da alegria × tempo da tristeza
- 168   Capítulo 4 — O tempo no esporte
- 175   Capítulo 5 — Música, instrumento do tempo

Parte IV — Ciência

- 192   Capítulo 1 — O que a ciência diz, por enquanto
- 209   Capítulo 2 — Cérebro

Parte V — Escolhas

- 216   Capítulo 1 — Liberdade
- 238   Capítulo 2 — O espírito do tempo
- 242   Capítulo 3 — Atualização de identidade
- 258   Capítulo 4 — Dá um tempo

- 270   Epílogo — Pare para pensar
- 278   Agradecimentos

Dê-se um tempo...

> "Quando criança, ansiava pela juventude, clamando contra a lentidão do tempo. / Na juventude fiz como o viajor imprudente, que esgota a sua montada, o tempo desbaratando. / Eu que esbanjei horas, dias e anos, zombando da monótona eternidade, mendigo hoje os minutos que perdi. / E o Tempo, fingindo me dar suas migalhas, subtrai, a cada dia que me concede, um dia em minha existência"
> (Eduardo Canabrava Barreiros, "Das buscas e descobertas")

Em 1960, quando eu ainda vivia no Paraná, estado em que tanto Izabella Camargo quanto eu nascemos, ficava na estante de meus pais um livro do poeta e jornalista paulistano Paulo Bomfim (que faleceu em 2019 com 92 anos!) com um título com o qual eu, aos seis anos de idade, e que acabara de aprender a ler e escrever, ficava intrigado: *O colecionador de minutos*.

Colecionador de minutos! Demorei para ler o livro, mas, só de olhar com frequência para o nome, comecei a entender aos poucos que, valendo para qualquer coisa, quem coleciona e gosta, cuida; quem coleciona e entende, aproveita; quem coleciona e é generoso, reparte!

Porém, colecionador de minutos? Na diversidade possível de coleções, como guardar, proteger e usar o tempo, um intangível absoluta e espantosamente concreto? Até Agostinho, nas suas próprias "buscas e descobertas", um dos maiores pensadores da História (por Izabella algumas vezes referido neste livro) e que só fui conhecer bem mais tarde ao estudar Filosofia na universidade, se perguntava nas *Confissões:* "Que é, pois, o tempo? Se ninguém me pergunta, eu o sei; mas se me perguntam, e quero explicar, não sei mais nada".

Então, para quem é este livro? — pergunta a autora logo na abertura; e responde: *para quem está tentando não adoecer por causa dos novos tempos.* Ou, de novo ela, *para quem pensa no próprio tempo e para quem respeita o tempo do outro.* Acrescento: para quem não quiser perder tempo nem perder o tempo.

Izabella Camargo não perdeu tempo! Pesquisou, estudou, fez centenas de entrevistas e conversas, meditou, recozeu, arrematou, usando bastante tempo nisso, sem desperdiçá-lo; colecionou seus minutos e os colecionou também para nós! Ela não quis ficar "explicando", como na perplexidade agostiniana; contudo, nos ofertou percepções variadas vindas de variadas gentes de variadas épocas, sem deixar de registrar no nome de um capítulo da Parte IV (das cinco) o limite claro: "O que a ciência diz, por enquanto"...

O passeio que ela mesma nos convida a fazer, que entendi como cinco "estações temáticas" ou "esferas vivenciais", chamadas de Partes por Izabella, principia pelo "Hoje", com uma parada na nossa contemporaneidade e na trajetória que fizemos, com todas as maravilhas, turbulências, encantamentos e maldições que, por decisão nossa, nos aproximam do colapso ou nos permitem dele escapar. Parte dessa turbulência tem chance de desaguar na "Saúde", pensada na Parte II, especialmente na doença dos novos tempos, a síndrome de burnout (pela qual foi vitimada), uma condição esgotadora resultante de excessos voluntários ou impostos, nos quais o uso do tempo é mal escolhido ou saqueado.

Como o "Hoje" tem histórias e biografias, e nele o tempo não é unívoco como compreensão e vivência, ela nos leva para a Parte III, na qual há "Percepções" de inúmeras fontes, desde a mitologia antiga, passando pelos entendimentos e impressões advindos da arte e do esporte. O terreno seguinte, na Parte IV, tem de ser o da "Ciência", esclarecedora em infindos aspectos e ignorante (com consciência) de outros tantos, e nesta parte Izabella faz um inventário conveniente para sabermos mais sobre o que as teorias e experimentações do momento nos informam.

A Parte V deveria mesmo, e o faz, sugerir trilhas e ponderações do que cabe a cada pessoa e, por isso, chamada "Escolhas", recolhe cogitações sobre o proveito e efeito da nossa Liberdade, as decisões que apoiam a salvaguarda de nossa integridade ampliada e os compromissos que cada sujeito de si mesmo tem de empenhar, para não ter de ficar "mendigando os minutos que perdi".

Izabella Camargo inicia o último capítulo deste livro, "Dá um tempo" (agora sem exclamação), fazendo uma costura final que acolhe com densidade o que ela mesma ali colocou como epígrafe, ao citar o especial Mia Couto, quando este adverte: "Não precisamos de mais tempo, mas de um tempo que seja nosso".

Esse é o melhor ensinamento dela; essa deve ser a nossa melhor aprendizagem e, claro, ainda dá tempo! Para sempre? Não. Mas, se cada pessoa se der tempo, ainda dará. Por enquanto...

Mario Sergio Cortella

Para quem é este livro

"**O tempo está passando** muito rápido!" Ouço essa afirmação há muitos anos e fui procurar as respostas para entender se o tempo está passando mais rápido mesmo ou se nós estamos passando mais rápido por ele. Percebia que os mais convictos na velocidade anormal do tempo também estavam muito estressados, acelerados e com um grande volume de atividades na agenda. Minha intenção, quando comecei a escrever este livro, era juntar um punhado de informações de como chegamos até este ponto e provocar uma reflexão sobre as consequências de um mundo *express*, competitivo e megaconectado que borrou as horas que estamos vivendo, para que você, leitor e leitora, não adoeça — pelo menos não por isso.

Porém, curiosamente, este livro chegou tarde em minha vida, porque depois de entrevistar mais de uma centena de pessoas entre médicos, físicos e artistas, eu não vi a síndrome de burnout chegar. Ou seja, eu não queria que você adoecesse pelo ritmo dos novos tempos, em que todos somos afetados de alguma maneira, mas precisei passar pela consequência do acúmulo de trabalho por longos períodos pra poder te mostrar que, realmente, precisamos despertar para o excesso de trabalho, acessos, e para os riscos da ausência de nãos, que valem para todas as áreas da vida e que contribuem muito para a sensação de passagem acelerada do tempo.

É importante você saber que durante este tempo minha intenção não mudou. Pelo contrário. Como jornalista, mais uma vez fui buscar as respostas que não encontrei e agora, sim, posso te apresentar vivência, depoimentos e pesquisas sobre a evolução da pressa e o que realmente acontece quando não compreendemos o que está comprometendo o uso do tempo de fora nem respeitamos o nosso próprio tempo. Estamos indo de tela em tela, mas não paramos para olhar para nós mesmos. Está na hora de pensar sobre os custos dessa superocupação e a ligação com as percepções desse tempo, em uma sociedade imediatista e controversa que nos oferece desde produtos que paralisam rugas até estimulantes sexuais.

Então, este livro é para quem tem consciência de que está em conflito com o tempo, mas quer se prevenir dos reflexos do excesso de estresse negativo, infinitas cobranças internas, externas e pressões dos compromissos que assume. É para quem há tempos não faz uma pausa para atualizar a identidade. Para quem acredita que não vai dar conta de tudo. Para quem já sentiu que mesmo correndo muito está sempre no mesmo lugar, em débito com alguém — ou, pior, consigo. Também é para quem já sentiu que tem hora que o tempo passa mais rápido e tem hora que passa mais devagar — e tudo isso, às vezes, no mesmo período do dia. É para quem já se sente triste na Páscoa por ter vivido cerca de um quarto do novo ano sem colocar em prática os planos feitos com muita fé, enquanto estava, na maioria dos casos, vestido de branco. Ou pra quem, de repente, chega ao mês de julho e se assusta com a intensidade e velocidade do último semestre.

Este livro é para quem não tem tempo para nada. Para quem desejou ter mais tempo, então se aposentou e se viu confuso com o excesso de tempo. Para quem já ouviu alguém reclamar que em tal época as coisas eram diferentes, que em outro tempo as relações eram assim ou assado. É para quem já planejou uma festa de aniversário, casamento ou Natal, por exemplo, e no dia D nem viu a festa acontecer de tão rápido que foi o evento. Para quem já ouviu a expressão "parece que foi ontem!", quando, na verdade, o fato aconteceu anos antes. Também é para quem já pediu um tempo no trabalho e, em um período sabático, descobriu que o plano B tem condições de se tornar o A. É para quem já percebeu que, em uma fila de banco ou para usar o banheiro, o tempo passa mais de-va-gar. Para quem esperou uma consulta durante meses e achou que o atendimento foi rápido demais. Para quem já teve o diagnóstico de alguma doença grave e, naquele instante, olhando para o médico, percebeu que, às vezes, podemos viver achando que somos imortais. Se você já pensou em como lidamos estranhamente com a morte sem lembrarmos que ao nascer já sabemos que vamos morrer, vá em frente na leitura.

Este livro também é para quem olha os álbuns de família e chora de saudade de quem foi embora muito cedo ou para quem muda de astral só de ver a fotografia de um momento especial. É para quem respeita o tempo do outro e no trânsito, por exemplo, dá passagem para uma ambulância quando percebe que ela está se aproximando com a sirene ligada e que alguém, dentro dela, pode estar com os minutos contados para receber atendimento médico. Para quem fica à direita na escada rolante, sem reclamar, para dar passagem aos mais apressados à esquerda. Este livro é para quem olha para o céu, se encanta com as estrelas e se pergunta: o que, afinal, está acontecendo com o tempo?

Definitivamente este não é um livro sobre o gerenciamento do tempo: é sobre autogerenciamento. É para você pensar no seu próprio tempo e aí, sim, organizar suas ideias, atitudes e comportamentos para viver uma vida que vale a pena ser vivida. Também não é de autoajuda — mas, se ajudar, que mal tem? O aprendizado acontece só quando a porta abre por dentro. Para quem já percebeu que o tempo é o tecido que nos embala do começo ao fim, invisível, mas absolutamente presente e que você pode fazer as pazes com ele, se assim desejar, enquanto há tempo. Muitíssimo obrigada pelo seu tempo.

Dá um tempo e vamos em frente!

I
Hoje

Cê sabe onde a gente mora?

Onde a gente mora?

No agora

A gente mora no agora.

Paulo Miklos

1
Tempos mais que modernos

> — *Sabe o que me enfurece? Quando dizem que a tecnologia nos faz poupar tempo. Mas de que adianta se esse tempo é utilizado para trabalhar mais? Ninguém fala: "Com o tempo que ganhei vou para um mosteiro zen..."*
> — *O tempo é um conceito abstrato.*

Mais de vinte anos depois, esse diálogo do filme *Antes do amanhecer* continua atual. A conversa que Jesse e Celine tiveram no filme de 1995 começou a bordo de um trem (onde os dois se conheceram casualmente), durante uma viagem pela Europa. O norte-americano convenceu a francesa a passar menos de 24 horas com ele em Viena para se conhecerem melhor enquanto passeavam pela cidade. Os dois se apaixonaram. No dia seguinte, na correria da despedida, marcaram um encontro para um ano depois na mesma estação de trem, e cada um voltou para o seu país de origem. Um detalhe importante: na época, eles não tinham celular e não se lembraram de trocar informações para que pudessem se comunicar.

Nove anos depois, no segundo filme da trilogia norte-americana (*Antes do pôr do sol*), os protagonistas se reencontraram por acaso em uma livraria em Paris, durante o lançamento de um livro de

Jesse. Esse reencontro inesperado fez com que os dois personagens questionassem mais uma vez o passar do tempo — e isso em 2004, muito antes da troca veloz e frenética de informações pela internet da forma como conhecemos hoje. Será que nos dias atuais eles teriam ficado tantos anos sem trocar mensagens um com o outro? Será que a tecnologia seria determinante no destino do casal, encurtando a distância e, principalmente, o tempo em que ficaram longe um do outro?

O que será que Jesse e Celine pensariam hoje sobre a passagem do tempo? O relógio continua o mesmo, mas para muita gente as 24 horas parecem diferentes, passam mais rápido e os ponteiros parecem correr carregados de perguntas: o tempo que flui naturalmente no Universo, o tempo marcado no relógio e o tempo percebido estão no mesmo ritmo? Se em muitas situações a tecnologia nos ajuda a poupar tempo, o que estamos fazendo com o tempo livre? Por que corremos tanto? Estamos adoecendo por isso? Viramos reféns dos calendários? Por que muita gente está obcecada em usar cada um dos 1.440 minutos que temos disponíveis diariamente fazendo mais de uma coisa ao mesmo tempo? Diferentes gerações reclamam da mesma falta de tempo?

No início do século XIX, quando existiam apenas quatro jornais impressos na Alemanha, o escritor alemão Goethe já se queixava da passagem rápida das horas em seus escritos. Ele dizia: "Penso que o maior dos males de nosso tempo, que a nada permite amadurecer, está em que o momento anterior consome o seguinte, o dia se esgota no próprio dia, e desse modo vive-se sempre da mão para a boca, sem realizar nada que tenha substância". É curioso perceber que, mesmo em uma época em que a luz elétrica ainda estava se desenvolvendo, a percepção das pessoas já era de aceleração da passagem do tempo. E continua:

"A ninguém se permite estar feliz ou miserável, a não ser como passatempo para o resto do mundo, e assim as notícias correm de casa em casa, de cidade em cidade, de um país a outro e, por fim, de um continente ao seguinte, tudo sob a égide da pressa e da velocidade".

Se voltarmos dois milênios, é possível que alguém se identifique com o lamento de um personagem da região da Boécia na Grécia. Em uma peça atribuída ao dramaturgo romano Plauto, nascido no século III a.C., esse personagem expressou sua insatisfação com a fragmentação do dia pelas horas do relógio de sol: "Que os deuses arruínem o sujeito que primeiro inventou as horas, e, mais ainda, o primeiro que instalou aqui um relógio de sol e que, pobre de mim, triturou meu dia, pedacinho a pedacinho".[1]

Mesmo considerando que outras gerações já se incomodaram — e muito — com a efemeridade do tempo, não parece que até poucos anos atrás a atenção dada às circunstâncias era diferente? Que o tempo era outro? "O tempo de hoje traz um desafio especial, que é o desafio do excesso. Excesso de eventos, de informação e, também, de possibilidades. Isso sobrecarrega nossa capacidade de assimilação e interpretação dos fatos; interfere no valor e no significado que damos para cada coisa, pessoa ou situação", explica o filósofo e terapeuta Victor Stirnimann.

Você se lembra de quando as informações chegavam com hora marcada? Ficávamos sabendo dos acontecimentos, na maior parte das vezes, por meio do rádio, da televisão ou de jornais impressos. Hoje, o acesso à informação mudou radicalmente. A notícia está a um clique de distância: podemos acessá-la a todo instante, de

---

1. Tradução de Isabella Tardin Cardoso, professora de Estudos Clássicos da Unicamp.

qualquer lugar, e ficamos sabendo das coisas praticamente na mesma hora em que elas acontecem. Não dá nem tempo de processar uma informação e logo já vem outra.

O jornalista e professor da Escola de Comunicação e Artes da Universidade de São Paulo (ECA/USP), Eugênio Bucci, explica que estamos vivendo o prolongamento da revolução criada pelo alemão Johannes Gutenberg, que desenvolveu a imprensa moderna. "No século XV, a prensa móvel permitiu a reprodução fácil de materiais impressos, a distribuição em massa de livros e, consequentemente, a disseminação de ideias. O aumento da velocidade da circulação de conteúdo acaba acarretando a sensação de que o tempo está mais acelerado", afirma.

> "Vou dissipar a escuridão da ignorância e lançar uma luz para iluminar os homens."
> Johannes Gutenberg

Gutenberg interrompeu a escuridão da ignorância quando o mundo tinha outro ritmo e outros valores. Até o final da Idade Média, era um privilégio ter um livro. Eles eram escritos à mão e o conhecimento estava restrito a poucos núcleos de eruditos. Então, agora, basta avaliarmos o que estamos fazendo com tanto conteúdo que sobrecarrega nossos neurônios e muda hábitos e comportamentos. Simples, não? Não.

A curiosidade humana e a incessante busca pelo conhecimento, além de libertar os pensamentos com criatividade e inovação, deveriam permitir a liberação de mais tempo. Mas parece que não é o que está acontecendo. Você já parou para pensar em tudo o que está ao nosso redor e que acaba nos ajudando a ganhar tempo com as demandas diárias? Aviões, por exemplo, permitem acelerar nossos deslocamentos pelo globo. Aliás, o homem que popularizou o avião no início do século XX também foi um dos responsáveis pela democratização do objeto mais indispensável para quem vive contabilizando as horas: Alberto Santos Dumont encomendou ao amigo Louis Cartier um relógio que fosse mais prático para ver as horas do que o seu relógio de bolso. Foi assim que, em 1904, o francês desenvolveu um relógio de pulso para que o aviador pudesse cronometrar o tempo de voo durante suas experiências; sem perder tempo, claro. Antes disso, os relógios de pulso eram adereços tipicamente femininos e para poucos.

Alguns utensílios domésticos, como as máquinas de lavar e o forno micro-ondas, nos ajudam a ganhar tempo. O micro-ondas, por exemplo, ganhou mercado na década de 1950. Há um imenso ganho se compararmos com o tempo que levaríamos se utilizássemos apenas o forno convencional, que, por sua vez, também foi revolucionário quando chegou para substituir o forno à lenha. O macarrão instantâneo já matou a fome de muita gente apressada em apenas três minutos; os tecidos das roupas estão cada vez mais práticos e, depois de lavados, não precisam mais de tanto tempo de ferro de passar; os e-mails e as mensagens de texto agilizam nossa vida; aplicativos de celular nos ajudam a desviar do trânsito; comércio e bancos on-line aceleram as transações financeiras e as relações comerciais, além de outras centenas de facilidades que foram surgindo, principalmente, nas últimas décadas.

Com tudo isso, não deveríamos ter mais tempo à nossa disposição? Ou estamos, na verdade, incluindo ainda mais tarefas e mais responsabilidades no pouco tempo que sobra do "considerado" insuficiente dia de 24 horas? A questão aqui não é enumerar a lista de mudanças que chegaram com a tecnologia, mas lembrar como o ritmo dessas mudanças é diferente e mais rápido que os anteriores.

> Será que o tempo é o grande vilão e está passando mais rápido? Ou será ele mais uma vítima da vida moderna e nós é que estamos passando mais rápido por ele, deslumbrados com as inúmeras possibilidades da era da instantaneidade?

Quem me falou primeiro sobre esse paradoxo foi o professor de Comunicação da Universidade do Estado do Rio de Janeiro (Uerj) Erick Felinto. "Você cria meios de transporte mais rápidos, formas de comunicação instantânea que supostamente poderiam trazer mais tempo para vivermos a vida de maneira prazerosa, mas, na verdade, acaba criando demandas de urgência — e, nessas demandas, a gente tem a sensação de que o tempo passa cada vez mais rápido, que escapa das nossas mãos."

Como estamos iludidos com a possibilidade de fazer mais de uma coisa ou desenvolver mais de um raciocínio ao mesmo tempo, sem prejuízo para a tarefa e para o nosso cérebro, nutrimos a equivocada crença da ilimitada produtividade diária, sem pausas frequentes para recuperar o fôlego e seguir adiante sem prejudicar o corpo. Lembrando que a mente é uma das partes mais afetadas dos novos tempos. Alguém duvida que a demanda mental aumentou?

Assim como aconteceu com a prensa séculos atrás, a internet é um elemento revolucionário recente na história da comunicação, que, com milhares de sites de informações, *feeds* e telas infinitas de redes sociais, matou o ócio, o tempo livre para olhar para o horizonte e não para baixo, na tela que cabe nas mãos, preenchendo totalmente os espaços vazios do nosso tempo. É como uma gaiola que levamos para todos os lugares. Estamos fisicamente nos locais, mas nossa atenção, muitas vezes, não. Mesmo que você seja da turma que veio do analógico como eu, estamos vivendo cada vez mais com a ideia de que temos de produzir ou consumir informação o tempo todo, sem trégua. A tecnologia transmite a hipótese de que podemos multiplicar o nosso tempo dentro do mesmo tempo e isso dá, sim, a sensação de que tudo passa muito mais rápido porque estamos sobrepondo tarefas.

Transições

Não é segredo para ninguém que a sensação de que o tempo está mais acelerado vem a todo vapor, me perdoem o trocadilho, desde a Revolução Industrial. "É o imperativo da produtividade. Você tem que produzir mais em menos tempo, mais em menos espaço e mais com menos energia", pondera o professor Eugênio Bucci. É fácil reconhecer que, a partir desse período histórico, os motores aceleraram a marcha, os relógios criaram metas, métricas e prazos e as fábricas passaram a produzir, em um único dia, tudo o que um artesão era capaz de produzir durante toda uma vida de trabalho.

As mudanças sempre alteraram o ritmo das sociedades, e cada indivíduo ia se adaptando como conseguia até tudo mudar de novo, como observa o jornalista Ethevaldo Siqueira. "De 1760 a 1850, o carvão foi a principal fonte de energia. Houve o desenvolvimento da siderurgia, da máquina a vapor e da locomotiva. Durante a Segunda Revolução Industrial, foi a vez do desenvolvimento da indústria química, do petróleo e do aço. A produção em massa passou a ser utilizada a partir de 1850. Já a Terceira Revolução Industrial aconteceu entre 1948 e 1991, com a eletrônica, o computador, a digitalização, a comunicação fixa e móvel, a internet e, consequentemente, a explosão no número de computadores pessoais e notebooks. De 1991 a 2050, viveremos a Quarta Revolução Industrial com a fusão de três mundos: o físico, o virtual e o biológico — com a inteligência artificial, os robôs, a nanotecnologia e a biotecnologia, que poderão viabilizar a cura de algumas doenças e muito mais coisas admiráveis", pontua o jornalista.

Desde que o transistor foi criado — uma pecinha que amplifica o sinal elétrico em uma centena de vezes e que foi fundamental para a Revolução Eletrônica, a partir da década de 1950 —, a possibilidade de desenvolver novos computadores e equipamentos eletrônicos cresceu extraordinariamente. A microeletrônica é um exemplo. Na década de 1960, Gordon Moore, então presidente da Intel, disse que, a cada dezoito meses, com o mesmo custo de fabricação, a quantidade de transistores que poderiam ser colocados em uma mesma área dobraria. Na prática, a profecia (ou lei de Moore) quer dizer que a cada um ano e meio você poderá comprar um chip com o dobro da capacidade.

Lembra do disquete? Já foi considerado um dispositivo com grande capacidade de armazenamento. Por décadas, foi o principal sistema de gravação de arquivos, mas caiu em desuso. Hoje em dia, na ditadura do upgrade, um pen drive, hd externo ou o armazenamento de dados em nuvem na internet são extensões da nossa memória com capacidades infinitamente maiores. Ethevaldo Siqueira ainda observou que o smartphone que usei para gravar a entrevista deste livro, um modelo de 2015, tinha mais capacidade de processamento de dados do que a Nasa tinha em 1969. Em tempo: o jornalista estava em Houston quando o homem pisou na Lua pela primeira vez.

Considerando a lei de Moore, faz mais sentido agora o fato de os aparelhos eletrônicos se tornarem obsoletos tão rapidamente? A indústria não desacelerará suas atividades para que possamos nos adaptar às novas tecnologias. Mal nos acostumamos com um produto e logo vem outro para substituí-lo. O problema é que, embora estejamos admirados com o novo mundo, nosso cérebro ainda opera, basicamente, da mesma forma há milhares de anos.

> Uma coisa acelera a outra. A velocidade, intimamente ligada à tecnologia, tornou-se um indicador de progresso.

A velocidade pode viciar?

Sim. À medida que vamos acelerando nossa relação com o tempo, sua percepção torna-se cada vez mais confusa. O escritor inglês Aldous Huxley já dizia que o mundo moderno inventou um novo vício: a velocidade. E olha que ele viveu entre 1894 e 1963, e não viu as conquistas eletrônicas atuais que podem fazer uma informação saltar continentes em frações de segundo.

No corpo humano, a velocidade provoca a liberação de duas substâncias químicas, a adrenalina e a noradrenalina, que também dão o ar da graça durante o ato sexual. Ou seja, a velocidade, em algumas situações, pode liberar uma carga associada ao prazer. Com essa informação fica mais fácil entender, por exemplo, por que as filas dos parques de diversões são maiores nos brinquedos mais rápidos e por que tanta gente sonha em dirigir um carro de Fórmula 1. Sim, a velocidade dá prazer.

O psiquiatra e professor de medicina da USP Daniel Martins de Barros lembra que a velocidade é um produto da nossa cultura. "A gente entende que é um bem, um ganho e que ser rápido é bom", explica. Repare em quantos anúncios vendendo agilidade estão pelo caminho. Entrega de flores em três horas, comida na porta de casa em quarenta minutos, móveis em menos de um dia, lava-rápido, fast-food... Tudo para poupar tempo. Aliás, se tornou comum os sites de notícias colocarem o tempo estimado para a leitura do texto inteiro junto com o título da reportagem. Dizem, inclusive, que somos a "geração Miojo", sem paciência para o que ultrapassa três minutos.

Nesse embalo, a ditadura da rapidez, do imediatismo, poderá ser um parâmetro exclusivo para conferir se uma situação, procedimento ou relação serve ou não. "Velocidade é uma virtude e pressa é um descontrole. Fazer algo velozmente é um sinal de perícia, fazer apressadamente é sinal de inabilidade. Quero ser capaz de preparar uma comida velozmente, mas não quero fazê-la apressadamente", alerta o professor Mario Sergio Cortella para não confundirmos velocidade com pressa.

Uma situação que ilustra bem esse assunto é o alvoroço dos passageiros quando o avião pousa no aeroporto. Entendo que ninguém quer perder tempo, mas tanta pressa é sempre necessária ou já estamos desabituados a fazer as coisas com calma? O historiador e professor Leandro Karnal também notou que a saída dos passageiros do avião, após sua aterrissagem, pode ser comparada a uma corrida de cem metros com barreiras: "Estar apressado e falando ao celular transmite às pessoas uma ideia de respeitabilidade. Estar sempre correndo tornou-se um vício", explica. Ele, por sua vez, me contou que está exercitando desembarques mais desacelerados: "Não há problema nenhum se eu tenho que correr por estar atrasado para o próximo compromisso, mas já comecei a corrigir o hábito de pular do assento do avião quando não tenho essa necessidade".

Conflitos temporais

Na frequente negociação entre ganhar e perder tempo, parece que as frases "devagar se chega mais longe" e "a pressa é inimiga da perfeição" estão caindo em desuso, já que, na maior parte do tempo, queremos tudo para ontem. Tudo é urgente e os prazos estão muito apertados sempre. Atualmente, mais que em qualquer período anterior, grande parte da sociedade cultua a velocidade e a otimização do tempo acima de qualquer coisa. A pontualidade passou a ser uma virtude, enquanto o atraso, independentemente da causa, virou sinônimo de incompetência.

A sobrecarga de atividades pode ser uma das razões que explicam esse problema; por isso, muita gente está impaciente e intolerante a atrasos de qualquer natureza. Pode ser de um voo, do ônibus, trem, cinema, de reuniões, encontros e até do download de um arquivo em um dia em que a internet está lenta. Nós simplesmente nos esquecemos de uma época nem tão antiga assim, quando dependíamos dos correios para recebermos documentos.

Você já ouviu dizer que o apressado come cru? Em um restaurante, na maioria das vezes, queremos a refeição pronta em poucos minutos, sem considerarmos que se leva tempo para o preparo de cada alimento. Se aumentarmos a intensidade do forno para assar um bolo mais rápido, por exemplo, ele queimará por fora e provavelmente ficará cru por dentro. Você consegue visualizar essa situação em outros ambientes da sua vida?

Em uma consulta médica, vamos querer todo o tempo do mundo só para nós mesmos, sem nos importarmos se mais pacientes estão aguardando na sala de espera. Pressa do lado de fora, calma do lado de dentro. Mesmo sabendo que a velocidade na medicina pode determinar o alívio ou o fim da dor, a vida ou a morte, queremos sempre a cura o mais rápido possível. No entanto, antes de qualquer coisa, seria primordial se tivéssemos mais tempo para falar com o médico sobre o histórico dos nossos sintomas e dores. Tanto é que é comum ouvir queixas de pessoas que esperaram muito tempo por uma consulta e, na hora marcada, tiveram apenas alguns minutos de "olho no olho" com o médico. Esses conflitos temporais acontecem com muita frequência e em diversas áreas.

> O que precisa ser rápido na sua vida e o que você gostaria que acontecesse devagar? Depende só de você? Você é o proprietário do seu tempo?

Subjetividade do tempo

As escolhas entre devagar e rápido, calma e estresse, acompanham a evolução do homem. Hoje, assim como antes, é preciso buscar o caminho do meio e entender que o tempo medido pelo relógio e calendário não tem a mesma medida para todas as pessoas. Enquanto alguns têm certeza de que o tempo está passando mais rápido, outros sentem que ele está demorando, como os pacientes na fila de um transplante, por exemplo.

A assimilação do tempo é diferente para cada pessoa e também muda com a idade. Depende da fase da vida, das ambições intelectuais e financeiras, da saúde, das obrigações familiares, da cultura do país e do tamanho da cidade em que se vive, do trânsito e do barulho dos ambientes (médicos japoneses descobriram que estímulos sonoros fazem as pessoas andar mais rápido!), da religião, da personalidade e do ritmo de cada um, da disponibilidade de tempo, da determinação pelos projetos, das escolhas e das razões de viver.

> É preciso observar vários aspectos para entender se o estilo de vida que cada um quer ter é compatível com o que é possível viver.

Mais incisivo ainda, o jornalista canadense Carl Honoré, um assumido "ex-apressado", menciona no livro *Devagar: Como um movimento mundial está desafiando o culto da velocidade* que a doença do tempo pode ser sintoma de um problema existencial mais profundo. "Nos últimos estágios antes de chegar ao esgotamento completo, as pessoas muitas vezes aceleram para evitar encarar a própria infelicidade", escreveu. Sim, preencher a agenda com mais compromissos é comum para fugir de uma realidade que está causando descontentamento.

> Uma agenda lotada de compromissos é um poderoso subterfúgio para esconder aquilo que não queremos ver, lembrar ou que não conseguimos resolver.

2
Como chegamos até aqui?

> *Os homens no tempo de hoje*
> *são desejosos de brevidade.*
> Bartolomeo de San Concordio, 1305

Não muito tempo atrás, a carta reinava absoluta e, naturalmente, demorava para chegar ao destinatário. Me lembro da emoção que era conferir a caixa do correio. Se havia algo para mim, abria o envelope e saboreava cada linha e cada detalhe. Eu dedicava tempo à leitura de cada frase e lia sem pressa, já pensando na resposta e no tempo que levaria para ter um retorno. Agora, com os aplicativos de mensagens e redes sociais, as trocas e as respostas ganharam uma tremenda injeção de urgência.

Conversando com a pesquisadora em cibercultura e inovação Martha Gabriel, ela esclareceu que, além de uma agenda cheia de tarefas e compromissos, também temos que considerar que, antes da tecnologia, o tempo era bem marcado e fazíamos as coisas por blocos. "Tínhamos o momento da manhã, a hora do almoço, a tarde, a noite, o trabalho, o momento de lazer, o momento da televisão... Agora você não precisa esperar a noite para se informar ou se entreter. No trabalho, estamos recebendo informações familiares, por exemplo, e, em um jantar em família, estamos resolvendo coisas do trabalho. A tecnologia fragmentou ainda mais o tempo. Tínhamos um tempo mecânico, que funcionava por engrenagens e blocos; agora estamos em um tempo digitalizado e fragmentado. Em uma carta, você enviava um 'blocão' e recebia um 'blocão'. Agora você vai se expressando por pedacinhos em mensagens de texto, e essa fragmentação faz a gente ignorar os limites entre uma coisa e outra, o tempo de uma situação se sobrepõe ao tempo de outra e tudo começa a se borrar. Mudou a forma como percebemos o tempo e ele ficou mais cheio", explica.

> Mensagens fragmentadas como enviamos diariamente pelo telefone exemplificam perfeitamente como estamos vivendo o nosso tempo.

"Quando não existia smartphone, as pessoas respeitavam o horário comercial. Havia mais planejamento. Agora fica tudo mais caótico. Nossa sociedade vive mudanças de hábitos e costumes que têm transformado a maneira como as pessoas se relacionam e se comunicam", afirma Marcia Ogawa, sócia-líder de Tecnologia, Mídia e Telecomunicação da Deloitte no Brasil.

Neste período "líquido" moderno, conforme descreveu Zygmunt Bauman, a vida passa a ser "agorista" e apressada. A renegociação do significado do tempo imprime novos comportamentos. Na sociedade líquida moderna, o tempo não acontece cíclica nem linearmente, mas de forma pontilhista, fragmentado ou pulverizado, sucedendo uma multiplicidade de "instantes eternos", de rupturas. Como se os momentos fossem sempre interrompidos por novos instantes, sendo experimentados com intensidades variadas em situações descontínuas.

Das cavernas à hashtag

Vira e mexe, arqueólogos descobrem desenhos rupestres em rochas e cavernas. As pinturas encontradas na caverna de Chauvet, no sul da França, por exemplo, foram feitas entre 28 mil e quarenta mil anos atrás. Independentemente da precisão do tempo passado, esses achados franceses e outros pelo mundo revelam que os povos da pré-história também tinham a necessidade de se expressar. Eles desenhavam a luta pela sobrevivência, crenças e ciclos da natureza.

Acelerando o tempo, há cerca de seis mil anos, na antiga Mesopotâmia, os sumérios desenvolveram uma das primeiras formas de escrita, a cuneiforme, fundamental para compartilhar o conhecimento daquele povo. As letras eram registradas com objetos em formato de cunha em tábuas de argila. Tempos depois, a escrita evoluiu e passou a ser grafada em papiros e pergaminhos até chegar aos diversos tipos de papéis da atualidade, comprovando que, com a escrita, o homem não só venceu como também registrou o tempo.

Desde as primeiras civilizações organizadas de que se tem notícia, a distância e a troca de informações entre as pessoas sempre representaram um desafio para a comunicação, conforme escreve o professor Antonio F. Costella no livro *Comunicação: Do grito ao satélite*. "De muitas formas, desde os mais remotos tempos, o homem tentou vencer esse obstáculo e, movido pelos mais variados objetivos — comerciais, bélicos, culturais e afetivos —, foi idealizando soluções para comunicar-se à distância, lançando mão inicialmente de sinais sonoros ou visuais diretos. Incluem-se nessas formas de 'telegrafia' primitiva: os gritos, os apitos, o clarão das fogueiras, as lufadas de fumaça, os reflexos de espelhos, o soar do tambor, o estampido da pólvora e uma infinidade de outros sons ou efeitos luminosos." O professor ainda explica que muitos deles continuam em uso até hoje, embora com finalidades limitadas. "Mesmo com a sofisticação técnica moderna, a transmissão entre alguns navios é feita por sinais de bandeirolas ou piscadelas de holofotes e, em situações específicas, essa pode ser a melhor forma de comunicação", escreveu.

Ele ainda afirma que os novos e mais modernos meios de comunicação reduzem a importância, mas não matam seus antecessores, especialmente em lugares nos quais, por atraso tecnológico, os meios mais avançados de comunicação ainda nem tenham chegado. No interior de Goiás, por exemplo, conheci um bairro inteiro de chão de terra em que a televisão ainda era o elo mais recente entre a comunidade rural e o mundo. Já no Piauí, vi casas em que a luz elétrica era um patrimônio familiar.

Mas voltemos à necessidade humana de se comunicar. Está registrado que, em diversos momentos da história, alguns mensageiros tinham a incumbência de levar ou transmitir informações oficiais. É o caso de Fidípedes, o lendário soldado que correu cerca de quarenta quilômetros de Maratona até Atenas para noticiar a vitória grega sobre os persas. Cumpriu seu objetivo, deu a notícia, mas na sequência caiu no chão sem vida. Esse fato ocorreu em 490 a.C. e, até hoje, o nome da prova de corrida mais desafiadora para boa parte dos atletas é uma homenagem ao corredor grego.

> Naquela época, as informações chegavam ao destino no tempo máximo da velocidade de um homem correndo ou, então, eram transportadas no ritmo dos cavalos.

Como não poderia deixar de ser, a jornada da informação até o ambiente digital também passou por muitas mãos, mentes e experimentos. A eletricidade, o telégrafo (que, ao pé da letra, significa *escrever de longe*), as transmissões submarinas, o telefone, o rádio, a televisão, a comunicação via satélite, o computador e a informática pavimentaram o caminho para a comunicação de massa da internet que conhecemos hoje; o ciberespaço, por sua vez, é o novo mundo virtual com o qual estamos nos adaptando. "Embora, tradicionalmente, as narrativas humanas escritas sigam uma sequência linear, a inter-relação não linear dos conceitos ajusta-se bem à forma de o ser humano pensar. Nosso pensamento salta de uma ideia para outra e, com frequência, fazemos mentalmente associações não lineares", escreveu o professor Antonio F. Costella.

Hoje, as redes sociais (que substituíram muitas visitas de domingo, ligações, cartas e cartões-postais) mantêm as nossas ideias, pensamentos e recordações de tal forma que podem servir de referência para pessoas que nem sequer conhecemos, se estiverem etiquetadas com a jovem hashtag, criada em 2007 no Twitter — rede social que se autointitula como o melhor lugar do mundo para se atualizar e saber o que está acontecendo no exato momento.

Ou seja, das cavernas às hashtags, embora a forma e o local dos registros tenham mudado, a essência é a mesma. Precisamos nos comunicar para viver em sociedade.

Vilã de novela

Não sei se é assim com você, mas sempre ouço alguém reclamar que o tempo está voando e que a culpada, a vilã do nosso tempo, só pode ser a internet. Será? Lembro quando as pessoas diziam que a televisão era a responsável por roubar preciosas horas do dia das pessoas. Hoje a televisão também está dentro do smartphone e, ao caminhar pelas ruas, observo cabeças inclinadas o tempo inteiro, rostos iluminados pela luz que sai das telas, dedos ágeis e fisionomias que parecem concentradas (ou até mesmo hipnotizadas). Tem gente até trombando por aí porque digita ou fala ao celular enquanto caminha — ou, pior, enquanto dirige. A Associação Brasileira de Medicina de Tráfego (Abramet) apurou que essa atitude causa 150 mortes por dia nas ruas do país; só na capital paulista, uma multa é aplicada por minuto pelo uso do celular ao volante.

Na verdade, a internet não é nem vilã nem mocinha nessa agitação tecnológica. Assim como ninguém era obrigado a ficar horas em frente a um aparelho de televisão, hoje em dia ninguém é forçado a ficar conectado o tempo todo. "É, sem dúvida, confortável alimentar a crença de que somos vítimas passivas do sequestro e da invasão forçada de nossa mente por forças externas; de que a sobrecarga de informação que nos aflige é uma avalanche sob a qual vivemos, a contragosto, soterrados. É preciso considerar que somos, em larga medida, cúmplices do problema que enfrentamos", contou-me o escritor e economista Eduardo Giannetti.

O "explicador" Clóvis de Barros Filho, como o professor de Ética da ECA/USP gosta de ser chamado, afirma, por sua vez, que nenhuma ferramenta criada pelo homem pode ser considerada vilã. "O homem continua soberano para discernir sobre o uso e o que ele quer com esse uso. Caso contrário, se a internet for de fato uma vilã, teríamos que aceitar o fato de que o homem tornou-se escravo e submisso de uma ferramenta que ele mesmo inventou, o que não me parece ser necessariamente o caso. Enquanto tivermos lucidez e inteligência, teremos condições de circunscrever o uso da internet segundo princípios e valores que nos pareçam adequados para a nossa vida. Responsabilizar uma ferramenta pela incompetência existencial é mais um dos subterfúgios da falta de responsabilidade sobre si mesmo", explica.

Já Martha Gabriel complementa que a tecnologia simplesmente traz novas maneiras de fazer as mesmas coisas. "Se você usa a tecnologia de maneira errada, ela sobrecarrega sua vida; se a usa de maneira correta, ela lhe ajuda a ser mais produtivo e feliz." Ou seja, a tecnologia traz benefícios fantásticos em áreas vitais da nossa sociedade, como avanços na medicina, na agricultura e na educação, no controle de fronteiras, no combate à insegurança, entre outras. A internet, por sua vez, também não para de nos surpreender com novidades sem fim. Mas tanto a internet como a tecnologia exigem uma mudança radical de comportamento das pessoas que delas se beneficiam — e uma mudança de atitude urgente.

Afinal, estamos ganhando ou perdendo tempo?

Depende. Existem vantagens e desvantagens nessa singular forma de comunicação, como tudo na vida. Nos últimos anos, estamos vivendo uma nova forma de nos comunicar e de guardar nossas lembranças. Se antes escrevíamos em diários, hoje registramos o que não queremos esquecer no Instagram, por exemplo. Em muitos casos, o que era privado agora é público, ou melhor: publicado! Se considerarmos que tudo é imediato, sim, ganhamos tempo. Mas se isso viciar a ponto de não deixar você fazer outras coisas, é sinal de que está usando tempo demais no ambiente virtual e uma hora isso poderá causar um problema na vida pessoal.

Aliás, o que você tem feito com seu smartphone? Tira fotos, filma, ouve música, assiste a filmes e novelas, paga contas, brinca, faz compras, pesquisas e, entre outras coisas, também leva o aparelho para o quarto antes de dormir? Uma pesquisa sobre o uso do celular pelos brasileiros, realizada com duas mil pessoas pela Deloitte, levantou que 33% dos entrevistados checam as notificações de mídias sociais no meio da madrugada! E, ao acordar, quem não olha as mensagens dos aplicativos, ou confere os sites de notícias e a agenda antes de colocar os pés para fora da cama? Afinal, o smartphone também substituiu o despertador e, depois que ele toca, é muito fácil conectar-se logo cedo. Geralmente, o celular é o último aparelho a ser desligado antes de dormir e o primeiro a ser ligado ao acordar.

> O celular está em tudo e tudo está no celular.

"O brasileiro acessa o smartphone em média 86 vezes por dia (média apurada no primeiro semestre de 2020)", informa Fabio Coelho, presidente do Google Brasil. Esse número deu um salto exponencial por volta de 2014, explica o executivo. Ele acrescenta que, com a explosão dos dados, o processo de decisão mudou. "Todos queremos tomar decisões inteligentes para nos tornarmos mais eficientes, reduzir fricção e aumentar a conveniência nas nossas interações. Ao fazer um pagamento pela internet sem enfrentar a fila de um banco, ou pedir um táxi e outros meios de transporte sem precisar colocar a mão na carteira, você está reduzindo fricção, e tudo isso tem a ver com a economia de tempo ou dinheiro. Tudo na mão, na hora, de forma imediata, se possível", completa.

Porém essa conectividade toda permite que façamos mais coisas no mesmo período de tempo, e a intensificação do dia dá a impressão de que o tempo passa mais rápido. "O meu dia é tão intenso que aquilo que eu fiz ontem parece ter ocorrido há um mês. Como nem sempre temos disciplina para nos desconectarmos, a impressão que tenho é que o tempo está passando mais rápido. O que muda, na verdade, é saber tratar as horas que temos efetivamente", revela o executivo.

"Em uma visão otimista, as tecnologias digitais criariam um novo espaço de criatividade e de um tempo de ócio em que a arte e o lazer poderiam se manifestar com mais intensidade, mas, infelizmente, não é isso que estamos vendo", explica Erick Felinto, professor de Comunicação da Uerj, citando autores que se debruçaram sobre o tema. Ele mesmo está passando por uma desintoxicação [sic] digital e, com isso, passou a vivenciar alguns períodos do dia sem a sensação de estar perdendo tempo. "O Facebook é muito interessante, mas cria uma demanda. É um investimento de tempo muito grande", complementa. Ele mantém todas as outras conexões e conseguiu chegar a um equilíbrio confortável com o uso da internet: ele a usa e não se sente usado por ela.

> "Os artigos de luxo do século XXI são o tempo,
> o silêncio e a privacidade."
> Martha Gabriel

A era da curadoria

Dizem que o conteúdo de um jornal publicado hoje equivale a toda a informação a que uma pessoa era exposta durante uma vida inteira na Idade Média. Um homem daquele tempo não tinha acesso à mesma quantidade de informação que aparece hoje em uma única edição do jornal norte-americano *The New York Times*, por exemplo. Nesta era conectada, temos que filtrar e eliminar todo o lixo que se mistura às informações relevantes e selecionar o que chega até nós. Assim como a água precisa de filtro para ser consumida, os áudios, vídeos, fotos, links, notícias, e-mails, promoções e mensagens de aplicativos também precisam de um filtro. Melhor perder um tempinho analisando o que você recebe do que um tempão com conteúdo inútil. Fiz uma limpeza em e-mails, desliguei notificações, nas redes sociais deixei de seguir um monte de gente que não fazia mais parte do meu sistema e foi impressionante como ganhei tempo.

> Seja seletivo, não seja esponja e poupe tempo.

Vale mencionar também o tempo que se perde com as notícias falsas que circulam por aí. Algumas podem até ser classificadas como bobagens ingênuas, já outras podem destruir a reputação e a vida de uma pessoa, instituição ou empresa. As *fake news* são propagadas por militantes, políticos ou empresas que querem prejudicar alguém com o intuito de ganhar dinheiro. As pessoas difamam, acusam sem provas e disseminam mentiras, exatamente como acontecia em outras épocas com os fofoqueiros que faziam plantão nas janelas de suas casas. Os computadores e a internet apenas aceleram o alastramento da fofoca ou da notícia falsa.

Psicólogos encontraram evidências de que a maioria das pessoas têm uma inclinação para processar toda afirmação como verdadeira e, só depois, com algum esforço cognitivo, passam a considerar a possibilidade de que ela seja falsa. Um estudo empreendido pelo Instituto de Tecnologia de Massachusetts (MIT) concluiu que cada indivíduo tende a considerar como confiáveis as fontes de informação que corroboram com o que ele já pensa, e não confiáveis as que exibem notícias que contrariam suas opiniões.

> O desafio agora é identificar o que merece sua confiança e o seu tempo. É a época da curadoria individual. Não adianta ter preguiça. Confirmar qual é a fonte da notícia ou a identidade do autor do texto é uma postura obrigatória de quem respeita o próprio tempo.

Observar a data da publicação, evitar clicar em notícias com títulos sensacionalistas e não confiar em tudo o que até mesmo amigos ou familiares enviam por WhatsApp são algumas recomendações de especialistas para não se deixar enganar e, principalmente, para não perder tempo. Algumas pessoas nas redes sociais, sites e blogs também podem transmitir uma falsa imagem de credibilidade, assim como acontece na vida real. Pense bem e escolha com cuidado o conteúdo ao qual dedicará seu valioso tempo. O filtro é um critério de cada um, que deve ser exercitado cada vez mais a fim de ganharmos mais qualidade no tempo em que passamos navegando na internet.

Em tempo: é importante lembrar que a evolução tecnológica nos direciona para ter o mundo na palma das mãos. O telefone foi inventado para falar, mas, como estamos indo do ouvido para o polegar (ligações têm se tornado bem raras), as consequências físicas dessa mudança podem causar problemas em várias partes do corpo. Por exemplo, a miopia, quando os olhos sentem dificuldade para enxergar de longe, já é considerada uma nova epidemia contemporânea e atinge cerca de 30% das pessoas no mundo. De acordo com os especialistas, as causas são: a falta de exposição à luz solar — consequência da vida em ambientes fechados como escritórios e salas de aula, sem horizonte à vista — e o excesso de leitura de perto. Outro problema recorrente: quanto mais tempo no smartphone, mais rugas no pescoço e problemas na coluna. Um estudo feito na Coreia do Sul mostrou que mulheres a partir dos 29 anos já apresentam vincos na região do pescoço, onde a pele é mais fina, quando o normal seria que esse aparecimento se desse apenas depois dos quarenta anos. Ficar uma hora na postura errada também já tem o poder de desalinhar a coluna.

Os dois lados da comunicação pela internet

Como tudo na vida, a internet pode ser encarada de vários pontos de vista, vantagens e desvantagens. A comunicação instantânea pode resolver problemas mais rapidamente, especialmente em tomadas de decisão racional, mas também servirá para aquilo em que o ser humano colocar sua intenção, seja ela para o bem ou para o mal: liberdade de expressão ou opressão, divulgação de notícias verdadeiras ou falsas, boas ou ruins etc.

Na vastidão do ambiente digital, em que precisamos focar a atenção para não nos perdermos nos excessos, Zack Magiezi, influenciador digital, publica pensamentos perspicazes sobre o amor desde 2014. Ele sente que o tempo envelhece, que o dia está com minutos a menos e é da última geração off-line. Curiosamente, usa uma máquina de escrever para registrar as alegrias e tristezas desse nobre sentimento. É um poeta da era digital, outra mudança dos tempos mais que modernos. "Estou em um lugar moderno, fragmentado e superficial, falando de coisas profundas e, com isso, as pessoas se sentem íntimas. Quando elas leem algo, não é perda de tempo, porque consigo entrar em muitos lugares em que outras pessoas não estiveram. Isso é contraditório", reflete.

causa mortis
traumatismo craniano
fruto de um mergulho profundo
em uma pessoa rasa
Zack Magiezi

Zack poupa palavras e, com isso, aumenta o tempo para reflexão. Antes de 2014, ele fazia posts em sua *timeline* como uma forma de autoterapia para curar uma decepção amorosa. "O amor é honesto e devolve o tempo, as horas que a gente perdeu pelo caminho. Saber que meus poemas ajudam a resgatar um sentimento que a rotina desgasta com o tempo é meu sacerdócio", completa. Hoje, ele circula entre o off-line e o on-line em total equilíbrio. Os poemas publicados na internet viraram livro. Isso revela, inclusive, uma cooperação entre o digital e o papel, uma vez que um pode complementar o outro. Aliás, já vimos isso acontecer com outras mídias, como o rádio e a televisão.

A internet nos permite eliminar movimentos, deslocamentos e viagens inúteis, porque nos alimenta com informações que recebemos de qualquer lugar; entretanto, precisamos lidar sabiamente com ela, e pensar se os excessos que esses acessos provocam economizam tempo ou se, na verdade, nos confundem e atrapalham. Refletir sobre isso é fundamental, já que o avanço tecnológico é um caminho sem volta, assim como o progresso.

Avalie o tempo que você gasta com suas interações digitais: quais são os conteúdos que mais lhe interessam? Para onde eles estão o levando?

O acesso e os excessos da internet

Na minha época de escola, entre as décadas de 1980 e 1990, quando o sinal tocava e avisava que era hora do recreio, eu às vezes saía correndo da sala para chegar à biblioteca e pegar um livro que teria que ler a pedido da professora. Quando o livro já estava emprestado, a decepção era instantânea. Sem saber, eu já estava aprendendo e entendendo o significado da paciência.

Não havia outra forma de acessar aquele conteúdo: eu teria que esperar a devolução do livro e pronto. Hoje, quando alguém me recomenda um livro, pesquiso e compro pela internet com a habilidade e rapidez de um atleta olímpico.

A forma de pesquisar também mudou. Há vinte anos, só era possível fazer uma pesquisa escolar e confirmar algum assunto em lindas e pesadas enciclopédias que ficavam nas bibliotecas ou em destaque na decoração da sala de alguns lares. Era necessário ter sorte para achar o bendito assunto no índice logo de cara. Naquela época, o acesso à informação ainda era muito limitado.

Hoje em dia, os estudantes podem saber detalhes de qualquer coisa que lhes desperte interesse: basta apenas "dar um Google", o confessionário do planeta (termo usado pela própria empresa) que ranqueia os assuntos por relevância, e não há mais limites para o conhecimento.

Mesmo assim, é preciso tomar muito cuidado. Mario Sergio Cortella alerta para uma das mais polêmicas contradições dos novos tempos, presente no livro *A sorte segue a coragem*: "Hoje as coisas se dão em sucessão tão veloz que eu tenho a informação, mas não necessariamente o aprendizado. Mal eu começo a assimilar, a fruir, a digerir um tema, já aparece outro na sequência. A celeridade e a densidade de eventos quase não nos permitem tempo para observar o inédito, até porque tem muito inédito na sequência".

Uma das razões para o uso excessivo das mídias digitais no Brasil é explicada pelo psicólogo e coordenador do Grupo de Dependências Tecnológicas do Instituto de Psiquiatria do Hospital das Clínicas da Faculdade de Medicina da Universidade de São Paulo (ipq/hcfmusp), Cristiano Nabuco: "Temos uma realidade social muito dramática no país. Não tem aquela frase que todos são iguais perante a lei? Eu costumo dizer que todos são iguais perante a web. Na internet, todo mundo se expressa, tem voz ativa, dá opinião, tem a possibilidade de ser percebido, tem seus minutos de notoriedade. A pessoa busca no universo virtual algum retorno que não recebe na vida real". Essa vitrine social e ilimitada, além de deixar a turma mais corajosa para se expressar, também causa o desejo de saber sempre mais coisas, mesmo que sejam superficiais. Com tanta gente produzindo conteúdo e com tanta mobilidade, é uma tentação saber se está acontecendo algo importante, se alguém compartilhou alguma novidade. É justamente nessa onipresença que mora o perigo. Existe uma síndrome psicológica, a FOMO (*Fear of Missing Out* — medo de ficar de fora), muito comum entre usuários assíduos de redes sociais que têm medo de perder qualquer atualização.

Piloto automático

O problema da sensação permanente de falta de tempo não é só uma questão ligada à oferta excessiva de informação, mas também ao modo piloto automático que essa modernidade pode provocar nas pessoas, explica o psiquiatra Daniel Martins de Barros. "A tecnologia é um dos fatores que ajuda a percebermos o mundo passar mais rápido, mas não é a única responsável, porque já ouvimos pessoas de gerações passadas reclamando que outras épocas também eram agitadas. Isso inclusive foi retratado, por exemplo, no filme *Meia-noite em Paris*, de Woody Allen." O filme de 2011 trata de um viés cognitivo chamado *rose view*, uma "visão rosa do passado", em que as pessoas tendem a achar que ele era melhor do que o presente. "É uma ilusão pensar que o passado era melhor. Tecnologia faz mal para quem não sabe usar", enfatiza o dr. Daniel. Ele reforça a ideia de que, enquanto você se conecta ao mundo virtual e se desliga do mundo real, não vê o tempo acontecer de verdade.

Quantas vezes você foi rapidinho "dar um Google" em um assunto, distraiu-se e acabou abrindo diversas janelas, gastando um tempo que não poderia? O jornalista Ethevaldo Siqueira chama esse comportamento de "serendipitia", um neologismo utilizado para definir as descobertas feitas ao acaso. Vem da palavra *serendipity*, criada pelo escritor britânico Horace Walpole em 1754. "Hoje, o maior desafio é o poder de concentração e não se perder em tantos conteúdos e hiperlinks", defende o jornalista.

Sobra informação e falta atenção

À medida que o mundo se desenvolve de forma cada vez mais acelerada, fica mais fácil se distrair. Quanto mais distraídos ficamos, menos sabedoria geramos. De acordo com o dr. Cristiano Nabuco, estamos vivendo a epidemia da distração. "Com tanta informação ao mesmo tempo, o indivíduo está se deparando com a incapacidade de prestar atenção e se aprofundar em qualquer assunto", revela.

Os tempos mais que modernos — época de maior conhecimento à disposição da humanidade — são também os de maior inquietude. O sociólogo italiano Domenico De Masi enxerga a raiz da desorientação atual na impossibilidade de distinguir o verdadeiro do falso, o bem do mal, o público do privado, o que é de direita e o que é de esquerda. No livro *Alfabeto da sociedade desorientada*, ele explica que cresce uma inquietação dividida entre passividade e angústia. "De ano em ano, as tecnologias nos fornecem instrumentos cada vez mais eficazes para não esquecermos, não nos isolarmos, não nos perdermos, não nos entediarmos e, no entanto, a impossibilidade de distinguir nos dificulta julgar, educar, decidir; nos lança em um estado de impotência justamente quando a ciência solicita nosso delírio de onipotência."

Se você não sabe o que está procurando, qualquer coisa que aparecer serve para ocupar o seu tempo? Sua resposta pode valer tanto para a vida real quanto para a digital. No mundo virtual, vira e mexe estamos navegando por mares desconhecidos e desnecessários. Tem hora que até encontramos algo interessante e útil, mas tem hora que filtrar e desconectar torna-se de extrema importância.

A psiquiatra Ana Beatriz Barbosa Silva explica que quem fica muito tempo na internet, colhendo apenas informações superficiais, está fazendo com que o seu espaço mental seja mal preenchido. "Como ninguém consegue mais ficar parado, vamos consumindo o tempo e não vivenciamos mais as horas. Isso vai na contramão do encontro com o propósito de vida. Se fico no raso, ocupando meu tempo com distrações, gero uma memória instintiva, ligada apenas ao prazer imediato, o que acaba subtraindo o tempo dedicado ao amadurecimento real", explica.

A vida pela tela

Até o papa Francisco já pediu menos celular e mais coração durante as missas. Na praça de São Pedro, no Vaticano, ele disse em 2017: "Eu fico muito triste quando celebro a missa e vejo tantos telefones erguidos. Não apenas dos fiéis, como também de alguns sacerdotes e, inclusive, bispos. Por favor! A missa não é um espetáculo".

Em shows de música, festas de aniversário e casamentos, você já deve ter reparado que cada vez mais pessoas acompanham os eventos pela tela do celular, não é? Estamos vendo as situações em vez de vivermos as experiências. "Quem se liga demais no mundo das telas e dos dados acaba se desligando do ambiente físico, das emoções, dos significados, e vai acabar sentindo que o tempo está passando mais rápido. É o afunilamento temporal", explicou o dr. Cristiano Nabuco. Outro dia, um amigo executivo com filhos pequenos me disse que não entendia por que, mesmo com um monte de coisas para fazer, ficava tanto tempo conectado e que, quando percebia, trinta minutos valiosos tinham ido para o espaço. Então, mesmo sabendo que estão perdendo tempo, por que muitas pessoas continuam conectadas absorvendo ou compartilhando conteúdo? Esperam qual tipo de benefício desse comportamento?

Vício e recompensas

A internet já é considerada a maior máquina de persuasão e vício da história: com a onipresença do smartphone e sua tela com rolagem eterna, recebemos cerca de 65 notificações, em média, por dia (os dados foram apurados em 2019). A maioria não tem importância, mas mexe com o cérebro e consome energia. Além disso, oito em cada dez motoristas usam celular enquanto dirigem. Ou seja, o smartphone já vicia mais gente e mais intensamente do que o cigarro, como afirmam os pesquisadores. Como vivemos uma epidemia da distração, estudos também mostram que o uso excessivo de smartphone está ligado ao aumento das taxas de ansiedade, depressão e déficit de atenção. Recentemente, o termo *nomofobia* foi criado no Reino Unido para descrever o medo de estar sem o celular disponível e, também, para falar da dependência do telefone móvel. Os viciados nas telas têm reações semelhantes aos dependentes químicos, por exemplo. Ficam, da mesma forma, ansiosos e irritados quando não estão de posse do aparelho, já que a abstinência do telefone altera a química cerebral.

"Quando faço algo que meu cérebro entende que é importante, ele libera uma carga de dopamina, que é um neurotransmissor ligado ao sistema de recompensas. No entanto, essa sensação de bem-estar é muito passageira e logo os neurônios emitirão outro sinal: faça de novo!", explica o psiquiatra Daniel Martins de Barros.

Por isso, temos a tendência de querer dopamina muitas vezes durante o dia. É o mesmo que acontece quando alguém quer comer chocolate ou consumir drogas. A sensação após a liberação de dopamina pode provocar dependência. "Quando a recompensa é intermitente, ocorrendo de forma aleatória, a tendência é repetirmos a situação até obtermos a sensação desejada", detalha o dr. Daniel. Se você considera importante saber das novidades o tempo inteiro, receber um determinado número de *likes* (que funcionam como um tipo de aprovação do mundo digital) ou comentários às suas publicações, por exemplo, já enviou para o seu cérebro a informação de que isso é importante, de que vai insistir até que atinja seus objetivos e, com isso, vai ganhando mais dopamina e perdendo mais tempo. No livro *Mentes ansiosas*, a psiquiatra Ana Beatriz Barbosa Silva explica que essa corrida por "curtidas" poderia muito bem ser resumida como a ansiosa busca por importância e aprovação social em uma sociedade que pouco se importa com o que de fato as pessoas são ou sentem.

Já foi dito que o vício é a ausência de algo. Até parece uma afirmação ingênua, mas o dr. Cristiano Nabuco complementa que essa dependência comportamental ocupa um lugar importante na vida de uma pessoa quando as relações humanas não estão ocupando o seu devido lugar. A coisa é tão séria que, desde 2006, a USP trata de dependentes tecnológicos. O tratamento consiste em sessões de psicoterapia e uso de medicação. "O excesso de internet pode atingir todas as idades. Orientamos para que a tecnologia não assuma um papel preponderante na vida do paciente", relata.

Informatose

Os autores do livro *Normose: A patologia da normalidade* explicam que a "informatose", ou o excesso de tecnologia, está destruindo e corroendo a unidade da família. "As horas antigamente destinadas à boa e necessária convivência, ao diálogo e à intimidade foram perdidas. Agora, pai, mãe e filho estão cada um no seu celular, em total dissociação familiar. E esse desequilíbrio faz com que as pessoas percam até a noção e o contato com a realidade, absortas em um mundo demasiadamente virtual."

Frei Betto atribui a percepção mais rápida do tempo, quando se trata de tecnologia, à ganância. "Tem a ver com uma certa falta de autoestima, de querer sempre mais, de querer estar inteirado de tudo o tempo todo, de querer aceitar todos os compromissos, acompanhar todas as notícias; com isso, as pessoas vão ficando cada vez mais elétricas. Tudo o que acontece no mundo hoje já acontecia antes, só que nós não ficávamos sabendo. Não havia comunicação como existe hoje", explica. Aliás, quando enviei por e-mail o pedido de entrevista para este livro, recebi uma resposta automática com um texto genial: "Nunca imagine que estou do outro lado atento aos e-mails. Prezo outros afazeres. Tenha paciência e terá resposta". A orientação parece óbvia, mas, nos tempos atuais, não é.

Tem saída?

Sim, mas teremos que pensar, encontrar limites e fazer escolhas. Com o atual consumo de dados da internet, Fabio Coelho, presidente do Google Brasil, acredita que, em breve, deverá acontecer o mesmo movimento que atingiu os alimentos tempos atrás. "Será como uma reeducação alimentar. A ingestão calórica aumentou com o desenvolvimento dos alimentos, e as pessoas começaram a comer em maior quantidade, até engordarem demais. Na década de 1980 houve o início de um processo de conscientização e, hoje, muita gente come menos e melhor. Cresce a cada dia o número de vegetarianos, veganos e pessoas preocupadas com a procedência do que estão consumindo. Quando penso em conectividade, creio que haverá um processo similar, em que aquelas pessoas que hoje estão excessivamente conectadas passarão por algo parecido", explica.

Não é porque tenho wi-fi ilimitado que ficarei pendurado na internet o tempo todo. É bem provável que, em pouco tempo, o acesso à internet em todos os bairros de uma cidade passe despercebido, assim como aconteceu com a energia elétrica. Portanto faço o convite para pensarmos em seguir uma rotina equilibrada de informações e interações virtuais, com menos quantidade e mais qualidade, para não perdermos tempo.

Pequenas mudanças para diferenças expressivas no tempo:

- Se você já identificou o smartphone como um ladrão de tempo, experimente não levar o aparelho para a cama ou, então, deixe-o no modo avião, apenas com as funções de relógio e despertador ativadas. (Eu fiz isso e senti uma considerável diferença na qualidade do meu sono.)
- Ao acordar, tente fazer primeiro o que tiver de ser feito para iniciar o seu dia antes de se conectar às redes. Por exemplo,

não acesse a internet enquanto não escovar os dentes, tomar banho ou tomar café.
- Desligue o celular durante as tarefas que exijam bastante concentração ou desative as notificações. (Adotei essa estratégia quando comecei a escrever este livro e garanto que não é bobagem.)
- Quando estiver fazendo uma pesquisa, não se perca em blogs e sites desconhecidos, isso é procrastinação. Adiar o importante vai transformar a ação em urgência, e isso tem consequências no seu estado de humor e criatividade.
- Quando acessar suas redes sociais, estipule um tempo máximo de navegação. Experimente apenas por um dia e perceba a diferença. Vivemos a era da curadoria, lembra? Se você não filtrar o conteúdo que chega, alguém vai fazer isso por você — nem sempre com as intenções mais nobres.
- À noite, como um ritual antes de dormir, dou a última olhada nas minhas redes e WhatsApp, em pé, ao lado da cama. Depois de poucos minutos minhas pernas já começam a doer e já sei que é hora de desligar.

3
Obrigado pela informação que você não me deu!

> *O mais valioso de todos os talentos é aquele de nunca usar duas palavras quando uma basta.*
> Thomas Jefferson

O título deste capítulo é também o título do livro do consultor em comunicação Normann Kestenbaum. Ele é especialista em sintetizar e simplificar o conteúdo de apresentações de empresas e escritórios de advocacia em momentos decisivos. Achei isso tão interessante que comecei a usar a expressão em muitas áreas da minha vida. De uns tempos para cá, passei a pensar muito mais antes de falar, a avaliar as informações complementares e a economizar detalhes para poupar o tempo das pessoas. Por respeito ao tempo delas e ao meu. Tenho feito isso no tête-à-tête, nos e-mails e nas mensagens pelo celular em boa parte das situações. Às vezes não consigo, mas tudo bem. A persistência ajuda o tempo a consolidar o hábito.

Me poupe

No ambiente corporativo, a quantidade de informações e a clareza de raciocínio fazem a diferença entre a vida e a morte de um negócio. Relevância, concisão e simplicidade são critérios cada vez mais valorizados. Desde uma entrevista de emprego até a venda de uma ideia ou de um produto, cada vez mais temos menos tempo com as pessoas. O ritmo mudou. "Hoje é assim: se, por exemplo, a pessoa para quem você quer vender algo combinou uma reunião de dez minutos, você tem que ter o brilhantismo para falar o essencial na metade desse tempo, a fim de provocar o interesse dela e conseguir estender a reunião por mais meia hora. Você tem que conquistar o tempo das pessoas", explica Normann.

Por todas essas características, já no começo da conversa, é melhor estabelecer uma comunicação concisa. "Não preencha buraco de tempo. Nunca vi ninguém reclamar quando termino uma apresentação antes do planejado", recomenda. Na prática, há mais de vinte anos, Kestenbaum pega o conteúdo para uma determinada apresentação que normalmente estaria em dezenas de slides de PowerPoint e o condensa em uma única folha tamanho A3 — estrutura que, segundo ele, deverá reter a atenção do interlocutor. Ou seja, uma folha de 29,7cm × 42cm deverá conter todo o raciocínio, do problema à solução, sem deixar de lado as informações relevantes.

> As pessoas têm pressa, excesso de informação, pouco tempo, pouca paciência, muitas distrações e decisões a tomar.

Portanto aqui está mais um exemplo de que para falar menos é preciso pensar mais. "Quanto mais objetivo você quer ser para a sua audiência, mais tempo isso demandará para o treino, o ensaio. Se eu tenho dez minutos para me apresentar, tenho que investir muitas horas para pensar, organizar o conteúdo e as ideias a serem expostas", completa o consultor.

Quanto tempo temos?

Para as pesquisas deste livro, eu sempre pedia de vinte a trinta minutos para o entrevistado e, na hora H, eu confirmava quanto tempo teríamos. Isso me ajudava a ir direto ao assunto. Se o entrevistado me dava mais tempo, eu ficava feliz da vida com a conquista, mas em alerta com a responsabilidade daqueles minutos a mais.

Muitas entrevistas se aproximaram ou passaram de uma hora, como aconteceu com a atriz Fernanda Montenegro e com o astronauta Marcos Pontes, por exemplo. A partir das experiências vividas nos últimos anos, agora, sempre que começo uma conversa, não importa o assunto, pergunto quanto tempo tenho disponível. Essa pergunta, mesmo que ainda surpreenda muitas pessoas, funciona e é importante para um tempo eficiente e de qualidade para ambas as partes.

A economia das reuniões mais curtas

Também tive experiências que me surpreenderam positivamente pela assertividade dos entrevistados. Foi o caso da Cristina Junqueira, cofundadora e diretora do Nubank, empresa de tecnologia financeira. Com ela, foram exatos 24 minutos de uma rica entrevista. Mas, antes disso, eu a conheci em um evento sobre liderança feminina. Ela chegou alguns minutos antes do combinado e logo pensei: como uma jovem executiva de uma empresa em expansão, com filha pequena na época, é a primeira a chegar? Essa pontualidade chamou minha atenção e, depois de alguns minutos de conversa, entendi que ela cuidava muito bem do próprio tempo para dar conta de tudo. "Como aluna eu já era bem eficiente. Entendi muito cedo que era um tremendo desperdício se eu não aproveitasse o tempo que eu estivesse na aula para já aprender o que estava sendo ensinado. Meus cadernos eram organizados e, academicamente, fui bem-sucedida em tudo. Eu era muito eficiente já na largada, na aula", me contou.

De segunda a sexta, o horário dela é sagrado. Chega para trabalhar às 8h30 e sai às 17h30 para pegar a filha na escola. "Foi uma decisão minha. Se eu não colocasse essa disciplina, eu não teria tempo com ela. Mesmo sendo muito organizada, eu nunca tinha sido tão rígida com meus horários assim, mas, depois que minha filha nasceu, tive que cuidar ainda mais do meu tempo. Se tem um bicho eficiente é mulher grávida, e meu patamar de eficiência mudou. Você tem que lidar com tantas coisas ao mesmo tempo e tem que cuidar de outro ser humano. Se você não for eficiente, o dano não é mais só seu", explicou ela sobre as necessidades e responsabilidades que vão mudando a relação das pessoas com o tempo.

Cris me garantiu que as nove horas em que ela fica no escritório são muito produtivas e que faz de tudo para não levar trabalho para casa. "Todo mundo gostaria de mais tempo, mas cabe a nós fazer apenas o que é possível e saudável. Não sofro. Abro mão de algumas coisas agora, porque priorizo outras. A gente acha que o tempo está passando mais rápido, mas estamos muito distraídos e a internet não é a única fonte de distração. Já me peguei várias vezes dirigindo para o trabalho, mas tendo que ir para outro lugar. Eu comecei a pensar em um assunto e entrei no piloto automático", admite.

Todo esse cuidado para evitar distrações, selecionar o que fazer e com quem fazer é transmitido para os funcionários. A filosofia de vida dela está embutida nos valores da empresa.

> "O tempo de todos é um custo e um investimento. Falamos para todo novo funcionário: cuide para não desperdiçar o próprio tempo, o da empresa e o de outras pessoas. Pense no custo das horas. Vai marcar uma reunião de uma hora com seis pessoas? O custo é de sete pessoas diferentes. E, sim, para mim, tempo é dinheiro."
> Cris Junqueira

Mauricio Vargas, o criador do site brasileiro Reclame Aqui, adora fazer a maioria das reuniões em pé. O que antes durava em média uma hora, agora não passa de vinte minutos. "Quando as pessoas entram em uma sala que tem cadeiras, conversam muito sobre coisas que não têm nada a ver com o motivo da reunião. Precisava de um modelo em que os colaboradores e clientes entrassem nas reuniões com um objetivo, uma pergunta e saíssem com uma resposta. Antes de implementar a ideia, eu saía das salas com a sensação de perda de tempo. Em pé, as pessoas ficam mais objetivas e é notável a diferença nos resultados."

Cá entre nós, você já teve a sensação de que uma reunião poderia ser substituída por um e-mail? É isso.

Podemos ser multitarefa?

Não. Ainda não conseguimos ser multitarefa como se vende por aí. Mas, para ganhar tempo em busca de mais produtividade, muita gente acredita que dá para fazer, com excelência, duas coisas ou mais ao mesmo tempo, e que nessa tentativa a reputação pode melhorar. Na verdade, com isso, estamos perdendo tempo e energia porque alguma tarefa ficará incompleta ou terá que ser refeita. Como o futurista Tiago Mattos diz, "é usar uma usina para acender uma lâmpada".

Mesmo com diversos estudos que indicam que a atenção das mulheres foi evolutivamente se desenvolvendo para um modelo mais difuso, enquanto os homens progrediram para se concentrar em uma única tarefa (desde o tempo das cavernas, elas cuidavam dos filhos e de outras atividades, enquanto os homens tinham que se concentrar na caça), o psiquiatra Daniel Martins de Barros explica que o nosso cérebro não foi programado para lidar com essa multiplicidade de estímulos cognitivos. "O organismo não está preparado para isso. A atenção humana é como uma lanterna. Você consegue colocar o foco em uma coisa de cada vez. Se estou em um quarto escuro, não consigo colocar o foco da lanterna em dois lugares ao mesmo tempo", conclui.

Um estudo feito na Universidade de Stanford, "Media multitaskers pay mental price" (Pessoas que são multitarefas digitais pagam um preço mental), revela como os malabarismos tecnológicos afetam negativamente nosso humor, motivação e produtividade. Os pesquisadores concluíram que enviar mensagem de texto, assistir à TV, falar ao telefone e abrir um e-mail ao mesmo tempo prejudica demais o controle cognitivo.

> O cérebro dá conta de milhares de tarefas neurais simultaneamente, mas também tem suas limitações e precisa desligar um controle para ativar outro. É diferente dos aplicativos de celulares com os quais estamos acostumados a abrir vários sem fechar nenhum.

Então, prestar atenção em várias coisas ao mesmo tempo parece vital para sobrevivermos diante de tantas demandas e cobranças, porém, na prática, é uma falsa ideia de produtividade porque não conseguimos nos concentrar efetivamente em cada uma das tarefas. Podemos cometer mais erros, a ansiedade aumenta e a criatividade também pode ser prejudicada.

> "A mente não pode ter dois pensamentos ao mesmo tempo. Veja se você consegue pensar em duas coisas diferentes ao mesmo tempo. E então? É possível?"
> Haemin Sunim, do livro *As coisas que você só vê quando desacelera: como manter a calma em um mundo frenético.*

4
Quanto custa a sua hora?

> *O tempo é a moeda da sua vida. É a única moeda que você tem, e só você pode determinar como ele será gasto. Tome cuidado para não deixar que outras pessoas a gastem por você.*
> Carl Sandburg

Imagine se uma peça de roupa custasse trinta horas em vez de um valor em dinheiro. Como você lidaria se os preços de produtos e serviços fossem calculados por horas de vida? Será que você valorizaria mais o seu tempo? Será que evitaria compras desnecessárias sabendo que, ao adquirir algo, você estaria consumindo um número X de minutos, horas, semanas, meses ou anos da própria vida? Acha a ideia fantasiosa? Em 1893, Henry Olerich publicou o livro *A Cityless and Countryless World* ("Um mundo sem cidades nem países", em tradução livre) em que descrevia uma civilização onde o tempo é tão precioso que foi transformado em moeda.

Ocorre que, desde que o relógio fragmentou e transformou o tempo em moeda, falar de tempo é falar sobre economia. Convém lembrar que economia não se trata apenas de dinheiro, mas de assuntos que envolvem dinheiro como criar filhos, por exemplo.

> Nós já vendemos nossas horas em troca de dinheiro, só que, na hora de gastar o dinheiro, não levamos o tempo em conta.

Recursos limitados

Se você não recebeu uma herança nem ganhou na loteria e depende do dinheiro do trabalho para viver, certamente você cumpre uma determinada carga horária e está trocando suas horas de vida por dinheiro e, depois, trocando dinheiro por bens, produtos e serviços. Se você nunca calculou quanto custa a sua hora, como vai saber se determinado produto vale a pena ou não, ou melhor, se vale o seu tempo? No final da semana, do mês ou do ano, depois de ter investido sua saúde e energia em um emprego, o mau uso do dinheiro pode fazer você sentir que as coisas não estão caminhando bem.

No Brasil, o salário, na maioria dos casos, é baseado em um valor mensal. Já nos Estados Unidos, o salário é calculado por horas e varia de acordo com o estado. Com isso, fica mais tangível quanto do seu tempo você coloca para comprar alguma coisa.

É evidente que um produto sem valor para mim pode ter outra importância para você. As características subjetivas de um produto ou serviço ultrapassam qualquer explicação racional. Então, levando em conta que você queira honrar suas horas de trabalho e evitar o desperdício de dinheiro e de tempo, experimente fazer uma conta para saber quanto custa a sua hora: multiplique as horas que você trabalha por dia pelo número de dias que trabalha no mês, depois divida seu salário mensal por esse resultado. Por exemplo, João trabalha oito horas por dia, vinte dias por mês. Ele trabalha 160 horas por mês e recebe um salário líquido, livre de impostos, de quatro mil reais. A hora do João custa 25 reais. É com esse valor que ele vai ter que pensar, diante da vitrine de uma loja, se o tênis que custa quinhentos reais vale a pena ou não para ele naquele momento. Ou seja, o tênis custa quinhentos reais ou vinte horas de trabalho. Vinte horas do esforço do João, um esforço que é finito, de uma saúde que não dura para sempre.

> Quando sabemos quanto custa nossa hora entendemos melhor a diferença entre preço e valor. Preço é tangível, numérico, já o valor é subjetivo e varia de acordo com os olhos de cada um. É por isso que não podemos julgar. O preço de um produto é igual para todos, mas o valor somos nós que atribuímos.

Tempo é dinheiro

Quando o norte-americano Benjamin Franklin afirmou em 1748 que "tempo é dinheiro", ele estava aconselhando um jovem comerciante: "Lembre que tempo é dinheiro. [...] Se o tempo é de todas as coisas a mais preciosa, desperdiçar o tempo é a maior prodigalidade. O tempo perdido nunca será recuperado, e o que chamamos tempo bastante sempre se revela insuficiente". Além de ter inventado o para-raios e colaborado com os estudos da eletricidade, meteorologia e outras ciências, Benjamim Franklin cravou no tempo um aforismo que nos persegue até hoje.

A relação entre tempo e trabalho fica evidente a partir do taylorismo[2] no final do século XIX, com os trabalhadores sendo forçados a usar o máximo de tempo dentro do espaço fabril, sem ter nenhum desperdício, consequentemente, gerando o aumento da produção. Henry Ford foi o pioneiro na criação de uma fábrica

---

2. Frederick Winslow Taylor, fundador da moderna administração de empresas, que introduziu um método para aumentar a produtividade em série.

moderna. Implantou a linha de montagem, produzindo mais carros em menos tempo, a um custo menor.

O filme *Tempos modernos*, de 1936, época em que a programação da TV era em preto e branco, ilustra bem essa fase e mostra um chefe de máquinas que sempre aumenta a velocidade da esteira de produção a pedido do dono da empresa, e o operário Carlitos acaba tendo um colapso nervoso. A produção deveria ser realizada a todo vapor e no menor tempo. Não bastasse o desequilíbrio físico e emocional provocado pela pressa e repetição a que o personagem de Charlie Chaplin estava sujeito, a cena em que um vendedor tenta convencer o dono da empresa a comprar novas e modernas máquinas que alimentam os operários ao mesmo tempo em que trabalham é antológica e ao mesmo tempo intragável.

De lá para cá, muitas manifestações aconteceram pelo mundo. Pessoas morreram lutando por mais direitos trabalhistas até as coisas entrarem nos eixos da forma como conhecemos hoje. Cada país foi obrigado a se organizar em torno das próprias leis e regras para cargas horárias de trabalho.

No Brasil, a escravidão foi abolida em 1888. Além de os escravizados serem prisioneiros dos patrões, também não eram donos do próprio tempo. Só a partir da Constituição de 1934 foi assegurada a jornada de oito horas diárias para os trabalhadores, repouso semanal e férias anuais para os brasileiros. E agora, no século XXI, muita gente busca trabalhos com horários mais flexíveis justamente para dispor do tempo com mais qualidade, para evitar perder tempo no trânsito, ter mais tempo livre e buscar mais conhecimento para desenvolver um trabalho mais criativo. "A palavra deste século é eficiência. E, para ser eficiente, você precisa usar a criatividade", explica a jornalista Mara Luquet. Para ela, a criatividade também nasce em momentos de lazer, quando você vai ao cinema ou quando viaja, por exemplo. "A gente tem que tomar muito cuidado com a expressão 'tempo é dinheiro' porque, quando você está pensando, estudando, vendo novas ideias, também está produzindo. E hoje, ter tempo para tudo isso é um luxo", complementa a jornalista.

O economista Roberto Luis Troster, professor de história do pensamento econômico, pondera que o tempo é a condição para adquirir conhecimentos e assim desenvolver habilidades para o bem viver, não é só trabalho e dinheiro. "Você produz no tempo. Na sociedade em que vivemos, se você perder tempo não estará produzindo. Tempo é criação de valor, mas também é destruição de dinheiro se você não tomar a decisão correta", explica.

Pobres ou ricos em tempo?

Se você tiver um saldo positivo no banco, que proporcione segurança e conforto financeiro por um tempo, mas não tiver tempo suficiente para usufruir desse saldo, isso vai te deixar feliz? Por outro lado, tempo sobrando e falta de dinheiro para pagar custos básicos também parece ser uma conta que não se sustenta por muito tempo, e que, obviamente, não deixa ninguém tranquilo.

> Equilibrar tempo e dinheiro é tão importante quanto entender quando o tempo significa dinheiro.

Sem educação financeira desde cedo, podemos demorar a perceber isso durante a vida. O cobertor pode ficar curto às vezes e, em certos momentos, passamos frio nos pés para cobrir as orelhas. Se eu investir muito mais tempo da minha vida trabalhando para ganhar mais dinheiro, terei menos tempo com a minha família, por exemplo.

Ou seja: se eu investir mais tempo apenas em uma área, consequentemente vai faltar em outra, e assim vamos fazendo trocas no tempo. Se eu "casar" com o trabalho, terei como manter outro relacionamento ao mesmo tempo?

Trocas intertemporais

A fim de possibilitar a realização de determinado desejo, fazemos trocas intertemporais, que nada mais são do que ações de manipulação da sequência dos eventos no tempo. Essas trocas fazem parte da natureza; é quando o presente e o futuro passam a negociar, e são mais comuns do que você pode imaginar. Em seu livro O *valor do amanhã*, Eduardo Giannetti diz que, quando o prazer está em jogo, *mais* é melhor do que *menos* e *antes* é melhor que *depois*. Já quando a dor finca os dentes, a equação se inverte e é melhor menos e depois. O senhor da situação é o aqui e o agora. "O tempo, ao contrário do dinheiro, não pode ser poupado; ele não se acumula, flui inexoravelmente e por isso é preciso viver o tempo sem ansiedade", explica Giannetti.

Ele confirma que uma troca intertemporal se faz imperativa e que será preciso agir no tempo de um modo específico, isto é, abrindo mão de algo de que disponho no momento (custo) em prol de algo que pretendo colher no futuro (benefício). "São duas modalidades básicas que fazem girar o mecanismo das trocas intertemporais. Usufruo agora e pago depois. O benefício é antecipado no tempo, ao passo que os custos chegam depois, ou pago agora e usufruo depois. Nesse caso, os custos precedem os benefícios", completa. Brincar ou estudar? Dormir ou se entreter?

Gastar todo o salário do mês de uma vez ou poupar algum valor para o futuro?

"Tempo e dinheiro têm muita coisa em comum; a noção de tempo, assim como a de dinheiro, é uma das abstrações mais poderosas e sofisticadas construídas pela razão humana. Ambos são entidades abstratas, pessoais e diretamente quantificáveis. Ambos são compostos por unidades de medida, passíveis de mensuração numérica, e que podem ser somadas ou subtraídas a bel-prazer — um irresistível convite ao exercício do cálculo racional. Quando tempo e dinheiro se cruzam, aparecem os juros. O valor para antecipar ou adiar decisões que envolvem dinheiro e tempo", escreveu o economista.

Juros — antecipar custa, adiar rende

Pagamos juros quando queremos algo antes do tempo, e gastamos valores acima do preço normal por não termos a quantia total no momento do desejo ou necessidade; recebemos juros quando temos uma quantia, mas ainda não temos um plano, um destino para ela e, consequentemente, a investimos em uma aplicação financeira. Ou seja, temos aqui duas situações importantes: importar valores do futuro para desfrute imediato (posição devedora) ou remeter valores do presente para desfrute no futuro (posição credora).

> "Juros na posição credora é a recompensa da espera, da paciência; já na posição devedora é o preço da impaciência. Quanto mais impaciente eu estiver, mais eu vou estar disposto a sacrificar o futuro para desfrutar o agora."
> Eduardo Giannetti

O economista ainda afirma que, quanto maior a impaciência, menor será a disposição de abrir mão de alguma coisa agora em prol de algo no futuro. "O prazer e a dor atam-nos ao presente; a apreensão, a ambição e o sonho projetam-nos ao futuro. Essa é uma ideia muito central do pensamento econômico, a ideia de custo de oportunidade. Você pode viver tudo o que tem direito agora, sem pensar no futuro, mas não reclame depois, se vier arrependimento. Toda escolha tem suas consequências", esclarece.

Comprando tempo e ganhando felicidade

"O estresse, por conta da falta de tempo, reduz o bem-estar e contribui para a ansiedade; quem paga pra ter tempo livre é mais feliz." Essa é a conclusão da pesquisa "Buying time promotes happiness" (Comprar tempo promove felicidade, em tradução livre), realizada por pesquisadores da Harvard Business School publicada na revista *Proceedings of the National Academy of Sciences* (PNAS). Em uma série de questionários respondidos por mais de seis mil adultos norte-americanos, canadenses, holandeses e alemães, os pesquisadores descobriram que as pessoas se sentiam mais felizes e satisfeitas quando pagavam alguém para cuidar de determinados serviços e tarefas domésticas em vez de gastar dinheiro com bens materiais. Eles concluíram que poupar tempo traz mais felicidade por reduzir o sentimento de estresse.

> Quem prioriza o tempo em vez do dinheiro tende a ser mais feliz do que quem prioriza o dinheiro sobre o tempo.

Nelson Motta ensinou essa lição para suas filhas desde cedo. "Eu falo para elas que o melhor que o dinheiro pode comprar é liberdade, independência e tempo. Não adianta ter milhões de dólares e não ter liberdade. Sem tempo, o dinheiro não tem utilidade nenhuma." Ele me contou que, conforme vai envelhecendo, o tempo se torna mais precioso, o que vai além do que disse Nelson Rodrigues sobre o dinheiro comprar até amor verdadeiro. "Dinheiro compra algo mais precioso: compra tempo. Sem amor verdadeiro até dá pra levar, mas o tempo é vital, é vida passando."

Os ladrões de tempo tiram o jornalista do sério. Ele defende que tempo é dinheiro especialmente quando percebe que alguém está subtraindo seu tempo com burocracias ou com hábitos culturais que não respeitam o tempo do outro. "No Brasil impera a cultura do desperdício de tempo, principalmente o alheio. Não só nas lanchonetes, nos caixas de supermercados, nas repartições públicas. Somos reféns da burocracia, da preguiça, do desprezo pelo outro, do exercício abusivo de pequenos poderes fiscalizadores, inspetores e autorizadores, criando dificuldades para vender facilidades e a impontualidade é hábito nacional."

Quando tudo tem um preço, só você sabe quanto custa seu tempo. Só você pode dizer se um serviço ou produto é supérfluo. O conforto tem seu preço, a praticidade também.

Poupar e investir

Até aqui eu sugeri que você entendesse quanto custa a sua hora para usar melhor o seu tempo e o seu dinheiro; relembrei como é positivo pensar nas trocas e escolhas intertemporais considerando o presente, mas sem se esquecer do futuro para evitar consequências negativas ou frustrações. Agora, começo a caminhar para o encerramento deste capítulo justamente falando sobre poupar e investir. Se você ainda não pensa no assunto, pelo menos defina quando vai começar a pensar, para não se arrepender no futuro e se preparar para uma condição financeira confortável. "O tempo é uma variável importante de mudanças quantitativas e qualitativas. Falar de tempo na economia é falar de presente e futuro. O passado só serve como exemplo para não errarmos mais. E, para ter um futuro confortável, preciso guardar meu 'estoquezinho'", explica o economista Roberto Luis Troster.

Enquanto temos saúde, disposição e trabalho, temos um fluxo, um salário e uma renda e, consequentemente, podemos fazer um estoque. Não é só uma loja que precisa se planejar com o tamanho do seu estoque para vender determinado produto por um certo período de tempo. Mesmo sem a cultura de guardar para depois, nós também temos que pensar no nosso estoque, ou seja, em nossa poupança, investimentos, previdência etc. No entanto, de acordo com o economista, o Brasil é um país que pensa pouco sobre isso. Uma pesquisa feita pelo Banco Mundial com 62 países revelou que o Brasil era o que menos poupava para a velhice.

Em tempo: no livro *Viver muito*, o jornalista Jorge Félix explica que envelhecer bem não depende apenas de se ter um plano de previdência ou fazer uma poupança. "O cuidado com a saúde deve fazer parte das preocupações da vida desde a infância, bem como a construção de um patrimônio afetivo e material." Ele ainda explica por que o maior investimento financeiro deve ser em seus dentes e na sua pele em vez de investir apenas em imóveis, ações ou previdência privada. "Ninguém está falando em estética. A Sociedade Brasileira de Dermatologia atribui os problemas que ocorrem depois dos 35 anos à falta de prevenção. Os brasileiros, mesmo os de classe média, têm os dentes ruins. Logo, esse investimento deve ser feito na juventude, durante a fase laboral, quando a sua renda, em tese, é mais alta. Após os 45 anos de idade, 75% dos brasileiros apresentam problemas de atrofia óssea, uma das mais graves patologias dentárias, por exemplo."

> Você conhece alguém que vive mais preocupado com ações e títulos do que com a própria saúde? O economista Eduardo Giannetti questiona: "O que valeria a pena escolher: colocar mais vida em nossos anos ou mais anos em nossas vidas?"

II
Saúde

Devia ter amado mais

Ter chorado mais

Ter visto o sol nascer

Devia ter arriscado mais

E até errado mais

Ter feito o que eu queria fazer

Titãs

1
As doenças do tempo

A vida era mais curta, mas o tempo para pensar era mais longo.
Domenico De Masi

A expressão "doença do tempo" veio à tona em 1982, ano em que o médico Larry Dossey lançou o livro *Espaço, tempo e medicina*. Em sua obra, ele explica que muitas enfermidades podem ser causadas a partir da nossa percepção distorcida do tempo e que precisamos mudar a visão da realidade que construímos. Larry ainda se refere à ideia neurótica de que o tempo está fugindo e que vai faltar em algum momento. "Muitas doenças — talvez a maioria — podem ser causadas no todo ou em parte por nossa percepção equivocada do tempo. Alguns neuróticos apresentam claustrofobia no tempo. O paciente sente-se assoberbado pelos seus deveres e oprimido pela escassez de tempo, da mesma forma como a pessoa que sofre de claustrofobia sente-se oprimida pelas paredes do espaço em que está."

Na prática, para muitas pessoas, o dia está curto demais para dar conta de uma agenda tão cheia e, ainda para vencer os naturais imprevistos, elas fazem ou estão tentando fazer várias coisas ao mesmo tempo, como já vimos no capítulo anterior. Esse comportamento da vida moderna tem provocado o crescimento exponencial do estresse, da fadiga crônica, da ansiedade e da depressão. Não faltam estudos que comprovam que o estilo de vida nas grandes cidades, a violência, fatores ambientais, sociais e crises financeiras afetam a nossa saúde. O excesso de informação disponível e as infinitas opções para tudo também podem causar mais ansiedade e essa emoção pode ser a porta de entrada para outros problemas de saúde.

Após um consenso entre muitos especialistas, o transtorno de ansiedade foi classificado pela Organização Mundial da Saúde (OMS) como o "mal do século XXI". Ele afeta crianças, adultos e idosos, ricos e pobres, homens e mulheres. Aliás, mais mulheres do que homens, pelo acúmulo de obrigações profissionais e familiares que aumentam os níveis de estresse e que podem desequilibrar os hormônios. Fatores genéticos e crenças pessoais também reforçam os transtornos de ansiedade.

> "As informações negativas, em especial as de conteúdo violento, além de provocar ansiedade e angústia, têm um efeito de flashback, que dia após dia poderá causar doenças decorrentes do estresse prolongado."
> Dra. Ana Beatriz Barbosa Silva

No livro *O poder dos mantras cotidianos*, a jornalista Regina Rebello e o neurocirurgião e físico Ricardo Leme explicam que, dependendo de como a informação é propagada e repetida, ela conduz apenas a mais violência, medo, desentendimento e desamor. Desde a informação de consumo rápido da internet ou as reportagens mais profundas e reflexivas dos jornais impressos e revistas, todos os veículos de comunicação funcionam como importantes e ágeis propagadores de mantras. "Os mantras cotidianos são extremamente relevantes, pois funcionam como promotores de sentido. Os resultados dependem da qualidade da informação que diariamente deixamos transpassar nossos olhos, ouvidos, mente e coração. É comum que notícias disseminadas por qualquer plataforma pautem as conversas do dia seguinte nas escolas, escritórios e por toda parte. Embora os fatos apareçam de um dia para o outro, a forma como são apresentados e sua repetição sistemática afetam nossos pensamentos e comportamentos."

> O acúmulo de fatos ruins alimenta um clima de angústia. Antes dessa velocidade e quantidade de informações com a qual estamos vivendo, os acontecimentos ficavam mais isolados. Agora, ninguém fica privado de saber sobre tantas mazelas do país e do mundo. Quem ocupa o tempo com muitas dessas informações pode ficar mais preocupado, ansioso e desiludido.

Workaholics, karoshi e o burnout

Desde que vivi uma experiência com a síndrome de burnout em agosto de 2018, muitas pessoas me perguntam o que seria pior, para um profissional de alto rendimento, do que se afastar do ambiente de trabalho que escolheu e batalhou muito para fazer parte. Depois de ouvir mais de quatro mil trabalhadores totalmente diferentes, mas com o mesmo roteiro de excesso de trabalho (pessoas que me procuraram voluntariamente por se identificar com o meu caso), posso afirmar que um AVC ou uma doença autoimune, como lúpus ou câncer, seria muito pior.

Todos esses exemplos de problemas de saúde são defesas do organismo pedindo "por favor, pare e reflita!" mas, como não prestamos atenção aos pedidos de socorro do corpo ou não consideramos a hipótese de uma "pane" no sistema, vamos tratando um monte de doenças individualmente, como se fosse a situação mais normal do mundo. Inclusive, glamourizando o tamanho da nécessaire cheia de remédios que alguém sempre tem na bolsa.

Entretanto, ser vítima de *karoshi* ou *guolaosi* — palavras que definem a morte súbita por excesso de trabalho — deixa qualquer pessoa sem argumentos para pensar que não devemos ou que não podemos ter nossos próprios limites em um ambiente em que passamos a maior parte de nossos dias. Por isso, a crença de que "ninguém nunca morreu de tanto trabalhar" precisa ser urgentemente reajustada.

O termo *karoshi* nasceu no Japão e não é lenda urbana. A necessidade de desenvolvimento após a Segunda Guerra Mundial incentivou os trabalhadores japoneses a seguirem rotinas extenuantes. Após trabalharem muito mais horas do que o corpo suporta, os profissionais sofrem ataques do coração. Há muitos relatos de jovens que morreram após noventa, cem horas extras de trabalho por mês. A partir da década de 1980, o próprio governo japonês começou a publicar estatísticas sobre *karoshi* e, em 2015, foram mais de dois mil pedidos de indenização. Porém, de acordo com o Conselho Nacional de Defesa para vítimas de *karoshi*, os números oficiais são muito menores do que os reais. E na China, *guolaosi* é o nome dado também para quem não resiste à rotina extenuante de trabalho com poucas horas de descanso.

Observo que é difícil reconhecer a necessidade da pausa para nossa manutenção porque vivemos em uma sociedade que exige disponibilidade integral, produção sobre-humana e com isso muitos profissionais sentem culpa, vergonha ou medo de reconhecerem seus limites e vivem para trabalhar e não trabalham para viver — que é o caso do *workaholic*, pessoa viciada em trabalho, que gosta do que faz e se sente importante trabalhando muito ou porque entra na engrenagem de uma empresa que "valoriza" quem dedica todo o tempo de vida com o crachá no peito.

A expressão em inglês que foi incorporada aos ambientes corporativos do mundo todo define aqueles que sempre existiram, mas que nos últimos tempos ganharam mais notoriedade e reconhecimento pela disponibilidade 24 × 7, como dizem, orgulhosos, os profissionais que podem ser acionados 24 horas por dia, sete dias por semana, para qualquer demanda profissional. Costumo dizer para os executivos que tenho ajudado em consultorias: o cliente ou o chefe que elogia uma resposta às três da manhã não vai visitar ninguém no hospital.

Se não é agradável lembrar que as pessoas trabalhavam quinze, dezesseis, dezessete horas durante a Revolução Industrial, como avaliamos hoje essa disponibilidade integral que estamos vivendo? Fisicamente é mais difícil e gera custo com horas extras, mas mentalmente, conectados a e-mails e WhatsApp, pode? A que custo? Para quem? Tem gente que nem gosta de tirar férias, tem aversão a ficar fora da empresa ou das agendas sociais por medo de ser substituído ou porque nem se lembra como é ser prioridade, pelo menos, por algumas semanas do ano. Querido leitor, todos sabemos que somos menos produtivos quando estamos exaustos, estressados, infelizes ou doentes, mas pensamos que nunca nada de grave vai nos acontecer... Temos limites físicos, mentais e emocionais.

No livro *O vendedor de tempo, uma sátira sobre o sistema econômico,* o economista espanhol Fernando Trías de Bes conta a história de um trabalhador que percebe ter uma dívida pior que a bancária: ele descobre ter uma dívida com o tempo. O autor alerta para o fato de que, na sociedade, todos são vendedores de tempo ao sistema e, quando o personagem faz um balanço da própria vida, percebe que seguiu uma rotina na qual se transformou em cúmplice da própria alienação. "Devemos ter consciência de que o sistema econômico em que vivemos se sustenta não apenas no dinheiro, mas também em uma utilização sutil da variável 'tempo'. E devemos compreender também que o uso desta variável deve ser feito com cuidado." Ele explica que o desejo de lucro é o motor que leva os indivíduos de uma sociedade livre a desenvolver iniciativas que põem em marcha economias e geram crescimento. Mas, por outro lado, a avidez desmesurada que atropela questões essenciais e básicas é a causa de todas as crises, pessoais e econômicas.

O que aprendi com o burnout

Se eu tivesse que ilustrar a síndrome de burnout, começaria com uma mala de viagem. Imagine você preenchendo essa mala com roupas, sapatos e afins. Ela já está no limite, mas você insiste em colocar mais coisas dentro dela. Com o tempo, o que provavelmente pode acontecer com o zíper? Estourar. Você vai ter que levar a mala para o conserto, e ela pode voltar a ser usada ou então descartada.

Outro exemplo que facilita a visualização do problema é um carro. Você trocou os pneus e colocou a melhor gasolina. Mas, pela correria, não colocou água no radiador. O que vai acontecer durante uma viagem longa? A água vai ferver, a temperatura do motor vai subir e ele pode fundir. Fez sentido? Conosco é a mesma coisa. Podemos cuidar da alimentação, da pele, dos dentes, fazer pós-graduação, morarmos numa bela casa, mas se não cuidarmos do cérebro, vamos ficar pelo meio do caminho. Nosso corpo realiza milhares de funções ao mesmo tempo sem percebermos. Ninguém precisa enviar uma ordem para o estômago processar a comida após o almoço, por exemplo, ou para o intestino fazer a parte dele. Mas, acredite, eles estão dando o máximo para lidar com o que você anda ingerindo e nem sempre darão conta. Isso também acontece com o cérebro. Talvez por isso achamos que também não teremos que oferecer as condições necessárias para ele funcionar bem.

Somos seres complexos, mas as respostas para evitarmos nossas dores podem ser simples. Em vez de só contarmos com recursos que são remediadores para muitas de nossas questões (ex.: medicamentos, drogas ilícitas) e que já sinalizam um esgotamento, que tal tentarmos também buscar a origem delas e desta forma, evitarmos a pane no sistema?

Sobre a síndrome de burnout, temos muito a considerar:

1. Síndrome é o conjunto de sinais e sintomas distintos que estão presentes em determinada condição de saúde. O termo burnout é definido, segundo um jargão inglês, como aquilo que deixou de funcionar por absoluta falta de energia. Metaforicamente é aquilo, ou aquele, que chegou ao seu limite, com grande prejuízo em seu desempenho físico ou mental.

   Por muito tempo foi difícil identificá-lo porque o quadro poderia ser interpretado de diversas maneiras e não somente relacionado ao contexto laboral. A mudança ocorreu a partir da inclusão da síndrome de burnout no Código Internacional de Doenças em 2019, pela Organização Mundial da Saúde. A atualização, como acontece de tempos em tempos, ajudou a alertar a sociedade sobre as consequências do excesso de trabalho, especialmente dos repetitivos esforços mentais. "O burnout é uma consequência de eventos estressantes sucessivos no ambiente profissional e pode ser definido com base em três dimensões de sintomas: sentimento de exaustão ou diminuição da energia; aumento do distanciamento das

atribuições de trabalho e diminuição na eficácia profissional por conta do sofrimento acumulado. Chegamos ao século XXI e o contexto atual precisará passar por uma revisão ainda maior das condições de cada profissional, demandas por eficiência, produtividade e colaboração entre as partes," explicou a PhD médica psiquiatra e psicoterapeuta Camila Magalhães. Ela é pesquisadora do Núcleo de Epidemiologia Psiquiátrica da USP e por tratar centenas de pacientes há anos, alerta: "Se agora trabalhamos a qualquer hora, em qualquer lugar, precisamos entender que a sobrecarga mental pode causar danos ainda maiores na mente e no corpo se não respeitarmos nossos limites. A diminuição das implicações sociais e econômicas do burnout virá da maior compressão sobre o problema, da reelaboração de papéis e aumento das demandas por cuidados relacionados à saúde mental". Como é um fenômeno mundial, o assunto precisa de mais estudos, mas, por enquanto, de acordo com a ISMA Brasil, associação integrante da International Stress Management Association (Organização Internacional de Pesquisa, Prevenção e Tratamento do Estresse), sabe-se que no mundo, o Brasil ocupa o segundo lugar entre os países com a maior incidência de burnout na população economicamente ativa. Só perde para o Japão e fica na frente da China, Estados Unidos e Alemanha.
2. O burnout atinge quase vinte milhões de brasileiros, de acordo com a Faculdade de Medicina da Universidade de São Paulo (USP). A síndrome pode ter vários caminhos e gatilhos, mas todos levarão a algum tipo de desorientação física, mental ou tudo ao mesmo tempo, como um apagão.
3. É um nome novo para um problema antigo, assim como o bullying. Na minha época de escola, era zoeira ou perseguição.

Embora a síndrome tenha sido denominada na década de 1970 pelo psicanalista Herbert J. Freudenberger — ele percebeu que profissionais da saúde se sacrificavam pelos pacientes em atendimento e descreveu um quadro composto por exaustão, desilusão, causado por um excessivo desgaste de energia e recursos — na minha opinião, estafa e neurastenia já representavam a mesma coisa: esgotamento nervoso, o estresse no nível mais alto. O neurologista norte-americano George Miller Beard popularizou o termo neurastenia por volta de 1869 ao publicar um livro sobre a sociedade norte-americana que estava entrando em parafuso por causa da modernidade. Curioso é que Thomas Edison só conseguiu desenvolver um filamento capaz de manter acesa uma lâmpada elétrica como conhecemos hoje dez anos depois, em 1879.

4. É uma experiência traumática. Não é fraqueza, nem é apenas um dia ou uma semana exaustiva. O antes e o depois do burnout não são passageiros. Assim como o problema não começa de um dia para o outro, o indivíduo também não se recupera em um fim de semana ou em um mês. Ele ocorre por um efeito cumulativo. São meses ou anos de ausência de si mesmo para dar conta de todo o trabalho que foi imposto ou aceito por medo das consequências de um "NÃO". Excesso de trabalho por longos períodos, turnos que não permitem o ciclo circadiano funcionar em ordem e equilibrar o organismo, pressão constante por resultados inatingíveis, falta de apoio e recursos para desempenhar as tarefas, falta de autonomia e assédio moral são alguns fatores que podem provocar o burnout, e como apurei, todos eles ao mesmo tempo.

5. O burnout ativa circuitos cerebrais de forma disfuncional. Ou seja, depois de um tempo, e não existe tempo médio de

tratamento, o profissional pode ou não voltar a executar as atividades que ficaram comprometidas durante as crises. O neurologista clínico Leandro Teles afirma que "mesmo com o diagnóstico e apagões frequentes, dependendo do esforço para continuar o trabalho, o indivíduo pode desenvolver doenças mais graves, necessitando de pausas maiores e com isso pode ter dificuldades persistentes sem conseguir retornar ao trabalho que vinha realizando".

6. O preconceito que acompanha o burnout não é diferente do prejulgamento que acompanha outros problemas invisíveis adquiridos no ambiente profissional como fibromialgia, enxaqueca, dor na coluna, LER/DORT, entre outros. Dores, que quando mencionadas, suscitam olhares desconfiados. Geralmente, essas doenças invisíveis despertam antipatia quando deveriam provocar empatia nos líderes, colegas ou amigos de trabalho que sabem que algo está errado.

7. Grande parte das pessoas que desenvolve burnout ama o que faz. Geralmente são comprometidas e altamente dedicadas, perfeccionistas, disponíveis, exigentes e com grande expectativa e idealismo em relação ao trabalho — características apreciadas na hora da contratação. São profissionais que aceitam e acumulam mais tarefas, principalmente a partir de um resultado positivo anterior, o que costumo chamar de armadilha da competência. Mas também existem os profissionais que, mesmo gostando menos do que fazem, terão que assumir e fazer o trabalho de duas ou mais pessoas e os que, por diversas razões, têm dupla jornada.

8. Trabalhadores que não podem errar têm muito mais chances de desenvolver a síndrome de burnout. Quando a psicóloga norte-americana Christina Maslach publicou o livro *The Cost of Caring* [O custo de se importar, em tradução livre] no

início da década de 1980, ela descreveu que os profissionais mais afetados pelo esgotamento profissional eram médicos, enfermeiros, policiais e professores. Hoje podemos incluir padres, jornalistas, advogados e muitos outros. Quando um médico ou um enfermeiro comete um erro, além de colocar em risco uma vida, vira reportagem. Um policial, mesmo sob ameaças violentas e muita pressão, também não pode errar e é execrado pela sociedade, como se não fosse um ser humano. Um jornalista só precisa gaguejar ao vivo para virar piada na hora; quando erra, perde o emprego, e o padre precisa estar disponível o tempo inteiro, sempre pronto a servir e dificilmente tira férias. No livro *O desgaste na vida sacerdotal — prevenir e superar a síndrome de burnout*, a doutora Helena López de Mézerville apresenta o resultado de uma pesquisa com quase novecentos sacerdotes latino-americanos. Três em cada cinco dos entrevistados estavam em um nível médio ou gravemente esgotados.

9. Muitas empresas já perceberam que prevenir é mais barato do que tratar e que qualquer problema relacionado à saúde mental tem impacto forte na produtividade. Já identificaram que transparência é fundamental para uma conversa franca, que pode evitar muitos problemas, inclusive na própria reputação.

10. Todos perdem com o burnout. O profissional fica confuso e se sentindo culpado por chegar àquela situação, por estar incapaz de realizar coisas que até então eram simples como dirigir, responder uma mensagem pelo celular e interpretar um texto, por exemplo; a família e os amigos que não sabem o que fazer ou como ajudar; a empresa que terá que afastar o trabalhador, contratar e treinar outra pessoa — o custo do burnout, apurado pela ISMA-BR é de oitenta bilhões de dólares por ano no Brasil. Já nos Estados Unidos, o valor

sobe para trezentos bilhões; a sociedade que ainda persiste em ideias ultrapassadas da Revolução Industrial e resiste à atualização do contexto atual. O sociólogo alemão Byung--Chul Han, autor do livro *Sociedade do Cansaço*, fala sobre a paisagem patológica do século XXI. Ele defende que cada época possui suas enfermidades: "Já vivemos uma época bacteriológica que chegou ao fim com a descoberta dos antibióticos e agora vivemos a época de doenças neuronais como depressão, transtorno de déficit de atenção, síndrome de hiperatividade ou a síndrome de burnout". A conduta da empresa após o diagnóstico do funcionário é fundamental para que todos tenham menos prejuízos.

"Como consequências do burnout, podemos pensar em termos organizacionais, individuais e sociais. Em relação à organização, pode haver aumento de gastos devido à rotatividade aumentada de colaboradores acometidos, com aumento de demissões, assim como com o absenteísmo tanto presencial quanto psicológico. Quer dizer, a pessoa está lá fisicamente, mas não está psicologicamente. A organização também pode deixar de ter uma pessoa antes criativa e dedicada, que acaba fazendo somente o que é absolutamente necessário diante da sensação de falta de energia. A queda na qualidade e na quantidade de trabalho produzido é o resultado profissional do desgaste", esclarece a doutora Telma Ramos Trigo, médica da Universidade de São Paulo (USP) e pioneira nos estudos da síndrome de burnout no Brasil.

O burnout é apenas um freio, não é o fim.

Os sinais que podem anteceder o burnout

É na dor que a gente se reconhece. Além de ter vivido na pele, identifiquei alguns alertas que aparecem no corpo de forma gradual a partir de vários dos relatos recebidos de mais de quatro mil pessoas. Eles começam leves e pioram com o passar do tempo. Como os que surgem no painel do carro avisando que é preciso parar para ajustar ou consertar algo, antes de um problema maior.

1. Distúrbios do sono;
2. Dor de cabeça frequente até enxaquecas (existem mais de cem tipos);
3. Azia e dores no estômago, intestino preso ou solto até problemas gastrointestinais mais graves;
4. Acne, manchas na pele e queda de cabelo;
5. Dores musculares;
6. Bruxismo e retração na gengiva;
7. Enjoos e tontura;
8. Cortisol (hormônio do estresse) alto, descontrolado;
9. Imunidade baixa;
10. Alergias;
11. Gripes e infecções constantes;
12. Alterações menstruais;
13. Perda de libido;
14. Aumento ou redução de peso;
15. Tremedeira nos olhos e piora na visão;
16. Piora da audição;
17. Dificuldade de concentração e lapsos de memória;
18. Inchaço nas pernas e outras doenças cardiovasculares;
19. Transpiração excessiva;

20. Cansaço intenso e constante;
21. Irritação;
22. Agressividade;
23. Crises de ansiedade;
24. Palpitações;
25. Choro frequente;
26. Isolamento;
27. Queda no rendimento do trabalho;
28. Baixa autoestima e pensamentos negativos.

O abuso de álcool, drogas e o excesso de compras, como forma de compensação, também foram mencionados por muitos.

Contudo, apresentar um ou outro problema listado acima não significa que você terá burnout. Não podemos banalizar a síndrome, mas devemos ficar atentos para que, caso um conjunto deles persista por longos períodos, é essencial buscar ajuda, para que não gerem consequências piores. De qualquer maneira, eu sugiro sempre o acompanhamento de um médico, ou até mais de um, aos primeiros sinais de descompasso. Tudo precisa ser levado em conta. Não dá para olhar ou tratar um problema de saúde separado do outro dentro de um contexto profissional que se mostra insustentável. Ter condições de se cuidar mais vai te deixar menos à deriva.

"Diante de um estresse, nós lançamos mão de ferramentas biológicas para voltarmos ao equilíbrio celular. Quando esse estresse não é resolvido e se torna crônico, nossa capacidade adaptativa não se mantém. Iniciamos um processo inflamatório, isto é, liberação de substâncias que lesarão todos os nossos órgãos. Logo, não é somente o cérebro que é atingido, e sim nosso corpo como um todo. Somos um sistema integrado," explica a dra. Telma Ramos Trigo. No início dos anos 2000, ela iniciou seus estudos publicando o primeiro artigo científico relacionando à síndrome de burnout com a área médica que cuida das manifestações emocionais e comportamentais conhecida como Psiquiatria. Trouxe o instrumento mais utilizado no mundo para a avaliação do burnout e o validou em nosso país, sendo a autora com maior número de registros sobre o tema. Seu trabalho científico tem influência em estudos em todo o mundo através de sua publicação internacional e percebe que mesmo fora daqui, ainda é necessário maior esclarecimento, tanto dos próprios profissionais de saúde a equipes dentro das empresas, incluindo líderes e departamento de recursos humanos.

Para evitar o burnout

Trabalhar dá trabalho, mas é possível ser feliz e trabalhar no mesmo lugar. Eu garanto! Para não viver a consequência profissional negativa dos novos tempos, teremos que reconhecer quais são os gatilhos do adoecimento, revisar crenças, aprender a dizer não, entre outras mudanças, além de nos atualizar sobre o que o estresse acumulado no ambiente de trabalho produz no corpo e não negligenciar o que alguns sintomas, considerados banais por muitos, estão querendo mostrar. "Estresse é um estado de tensão que causa uma ruptura no equilíbrio interno do organismo," como descreve a PhD em Psicologia Marilda Lipp no livro *O estresse está dentro de você*. O endocrinologista húngaro Hans Selye, pai da "estressologia", usou a palavra estresse na década de 1920 para descrever um estado de tensão patogênico do organismo.

Em tempo: o estresse pode ser negativo ou positivo. Ambos provocam reações fisiológicas, emocionais e comportamentais.

O bom — "eustresse" — provoca euforia, entusiasmo e satisfação quando vivemos coisas boas, por exemplo, quando planejamos uma festa ou quando nasce um bebê. Já o ruim — "distresse" — é cumulativo, e traz a sensação de ameaça quando passamos por episódios de sobrecarga de trabalho, luto, fome, demissão etc. Este é devastador. Na média, qual você tem vivido mais?

Vale explicar que muitos especialistas elencam quatro fases do estresse:

1. Fase de alerta: o organismo mobiliza-se para lutar ou fugir, como nos tempos das cavernas, e ele libera o cortisol (hormônio do estresse, da vigília). A diferença é que agora encontramos um mamífero maior que a gente a toda hora e o cortisol em excesso e por longos períodos abre portas para muitos problemas de saúde. O mamífero moderno nos ameaça em forma de violência urbana, medo de assalto, do desemprego e da falta de dinheiro, do racionamento de água, preocupações com o trânsito, angústia em relação ao transporte público de baixa qualidade, aos recursos escassos da saúde, aos prazos insuficientes e às metas inatingíveis, entre outros estressores.
2. Fase da resistência: o organismo faz movimentos no intuito de recompor-se das sensações vivenciadas na fase anterior como perda de concentração, instabilidade emocional, depressão, palpitações, transpiração, dores musculares e enxaquecas; consequências que demoramos para associar ao estresse.
3. Fase de quase exaustão: quando as defesas do organismo começam a ceder e ele não consegue resistir às tensões. A pessoa não consegue mais se adaptar ou resistir ao estressor. É aqui que começa o adoecimento e os órgãos que possuem mais

vulnerabilidade, genética ou adquirida, começam a mostrar sinais de descompasso e perda de capacidade restauradora.
4. Fase da exaustão: quando os agentes estressores persistem, os mecanismos de adaptação se rompem e o sujeito, sem condições para combatê-los, fica ainda mais comprometido física e psicologicamente. Aqui é quando as doenças graves podem acometer os órgãos mais vulneráveis. Cérebro, coração e o aparelho gastrointestinal geralmente são os mais afetados.

O autocuidado é um excelente passo para resgatar sua saúde e autoestima. É se priorizar e fazer por você aquilo que só você pode fazer por você. Ninguém pode dormir por você, por exemplo. Ele começa pelos cuidados pessoais como tempo pra escovar os dentes, passa pelas terapias, até qualquer outra coisa que te faça bem. É não deixar exames importantes de rotina se tornarem urgências ou emergências. Aliás, peça para seu médico incluir o cortisol nos exames de sangue. Ele é o indicador de possíveis inflamações pelo corpo. Dê atenção a dores crônicas e constantes porque elas não são normais. Inclusive, depois de aceitar a necessidade de mudança, procure ajuda, se for necessário, para organizar as ideias e tomar grandes decisões.

Eu fui a dezenas de médicos, tomei vários remédios, vitaminas, busquei ajuda na meditação, reforcei minha fé, fiz acupuntura, exercícios físicos, massagens, usei florais, fiz cursos e terapias variadas. Mas tudo para dar conta das responsabilidades no trabalho, não sobrava nada para outras áreas da minha vida. Ou seja, mesmo com todos esses cuidados, não deu pra continuar.

Então, conselho de quem quer o seu bem: cuidado pra não cair na armadilha da falsa resiliência ou apelação, como eu chamo. Ser resiliente é diferente de estar doente. Se esforçar é diferente de forçar. Até porque, dependendo do desgaste, você não vai conseguir voltar às condições de saúde que tinha antes. Quando uma máquina esquenta ela não precisa ser poupada por um tempo pra voltar à ativa? Pense nisso. Você fica mais seguro quando reconhece seus limites.

> Autocuidado é marcar reunião com você. É se incluir na agenda todos os dias.

Agora, mesmo indo a diversos médicos, saiba que isso não é suficiente para a sua saúde. Também é superimportante mudar hábitos e fazer sua atualização de identidade (falarei adiante sobre isso), aprender a dizer não ou pelo menos tentar incluir algumas palavras ou frases antes dele quando te pedirem para fazer mais um trabalho, se você não tiver condições físicas e mentais. Assim você pode entender o que é uma evolução profissional ou não.

- Por enquanto não consigo;
- Hoje não consigo;
- O prazo pode mudar?
- Alguém pode me ajudar nessa tarefa?
- Por quanto tempo eu assumirei essa tarefa extra?
- Me sinto bem com o convite, mas agora não vejo como aceitar porque pode comprometer outros resultados.

Para quem tem medo das consequências de um não, como eu tive, afinal somos seres humanos, afirmo que dizer não é um treino, e com o tempo você sente mais segurança pra encontrar limite neste mundo sem limites. Como dizia Bernardinho, ex--técnico da seleção brasileira de vôlei: "Se ainda está difícil é porque precisa de mais treino". Antes de dizer que é impossível se posicionar diante de um chefe, pense no significado da palavra possível. Pense nas consequências de mais um sim e de um não. Prefere continuar mal no mesmo emprego que te adoeceu ou saudável em outro? De qual estatística você vai querer fazer parte?

"Somos da mesma espécie, mas cada indivíduo reage de uma forma às situações. Isso acontece não somente por características de personalidade, mas por história genética, de vida, valores, ambiente onde se mora e trabalha, círculo social e familiar, idade, entre outros. Por exemplo: um rapaz de 25 anos tem um organismo mais ágil para se recuperar de lesões. Mas não se engane: quando ele passa madrugadas acordado, há alterações orgânicas. Entretanto, o processo regenerativo está a pleno vapor. Mas se fizer desse hábito uma rotina, não escapará de grande desgaste orgânico," complementa a doutora Telma Ramos Trigo. Então, não se compare com ninguém. A sua história é única, seu corpo é único e sua vida é sua.

Além dos fatores internos precisamos falar sobre os externos. É consenso não olhar apenas para as características biológicas e de personalidade do trabalhador. Os líderes das áreas de recursos humanos — que também são humanos, têm metas e pressões — vão precisar se remodelar. Assim como já aconteceu com a introdução dos EPIs, equipamentos de proteção individual, em ambientes e funções que oferecem riscos ao trabalhador. Jeffrey Pfeffer, professor da universidade de Stanford e autor do livro *Morrendo por um salário*, afirma: "A saída eficaz para conter o avanço dos casos de burnout é um redesenho do modelo de trabalho atualmente em vigor". A empresa americana de pesquisa Gallup apurou com 7.500 funcionários os cinco principais motivos que levam os empregados a sofrerem com o burnout que podem estar relacionados a problemas organizacionais e não a problemas que os indivíduos podem resolver por conta própria, que são:

tratamento injusto, carga de trabalho difícil de lidar, falta de clareza na função, falta de comunicação e apoio dos gerentes e pressão de tempo irracional.

Enfim, caríssimo leitor e leitora, o trabalho pode ser fonte de satisfação e não precisa ser de doença, infelicidade e improdutividade. Eu amo minha profissão. É minha vocação. Mas emprego sem saúde não termina bem. Mesmo com a insegurança econômica, competitividade e outros fatores de risco, sem saúde não vamos a lugar nenhum. Se o externo não muda e está complicado, o interno precisa estar preservado e ser cuidado da melhor maneira possível. Se conseguirmos projetar nossas limitações cognitivas do mesmo jeito que projetamos nossas limitações físicas, vamos tomar melhores decisões. Saia do que te paralisa e foque o que te mobiliza. Coloque seus dons a serviço do mundo e grave uma coisa: se passou ou está passando pela síndrome de burnout, lembre-se de que você não é um profissional ruim; só viveu ou está vivendo um momento ruim. Até as máquinas precisam de manutenção!

2
Um batalhão de pessoas doentes

*A doença não é um mal a ser
simplesmente combatido, mas um
sinal de desequilíbrio a ser compreendido.*
José Pereira

Ainda falando de doenças invisíveis, somos a nação mais ansiosa do mundo. Segundo estimativas da Organização Mundial da Saúde, a ansiedade é um problema de saúde pública e afeta mais de dezoito milhões de brasileiros. No mundo, são mais de 260 milhões de pessoas vivendo com transtornos de ansiedade. Para os especialistas, é uma epidemia. Alguns dos sintomas mais comuns da doença são dificuldade de concentração, insônia e preocupação excessiva.

A palavra ansiedade vem do latim *anxietas*, que significa angústia. O dicionário Houaiss também define ansiedade como angústia e complementa: agonia, inquietação, impaciência, inquietude, preocupação e receio. Na prática, quando esqueço o que aprendi com o burnout, sinto na pele que, em dias com muitos compromissos, fico enjoada, ansiosa e lembro que a vida não é uma daquelas gincanas em que preciso cumprir várias provas de habilidade no menor tempo para pegar a bandeirinha da vitória no final.

> "Sentir ansiedade é, sem dúvida, uma condição humana inerente a todos. No entanto, evitar adoecer por excesso dela é uma escolha que cada um pode fazer."
> Ana Beatriz Barbosa Silva

O *deadline*, expressão que determina o prazo final para certa atividade, faz parte do vocabulário e da vida da maioria dos jornalistas. A matéria-prima do nosso trabalho é muito perecível. A notícia, que não tem hora para acontecer, tem um prazo de validade cada vez menor e todos os processos avançam em uma verdadeira corrida contra o tempo para a publicação, transmissão ou exibição. Sempre foi assim, até na época dos orelhões. (Os repórteres, com seus saquinhos de fichas nas mãos, faziam fila para usar o telefone.)

Se pararmos para analisar, todas as profissões têm seus tempos, correrias, cobranças e estresses. A pressão dos prazos gera muita ansiedade. Profissionais da saúde, professores, advogados, engenheiros, cozinheiros, agricultores e outros profissionais das mais diversas áreas precisam dar conta de prazos, driblar de uma forma ou de outra inúmeros imprevistos e correr contra seus cronômetros particulares, com medo das consequências morais e financeiras se não conseguirem dar conta de tudo. A ansiedade faz parte das nossas emoções. É saudável quando nos alerta sobre algum risco e previne danos, mas é prejudicial quando provoca limitações à nossa vida.

A psiquiatra Ana Beatriz Barbosa Silva expõe no livro *Mentes ansiosas* que o tempo tem tudo a ver com nosso estado de espírito, de humor, tensão, ansiedade ou angústia. "Medo e ansiedade são primos-irmãos e sempre estarão juntos. São respostas emocionais cravadas em nosso DNA para nos ajudar a sobreviver desde que existimos como espécie humana. Entretanto, nossa capacidade de sentir ansiedade e medo é uma bênção que pode se tornar uma maldição."

> O medo é uma reação causada por uma ameaça específica e imediata. A ansiedade descontrolada é a ameaça que se alimenta com o tempo e se espalha no tempo. É a reação a uma perda futura, geralmente na pior forma.

Ansiedade ruim e ansiedade boa

Cada época da civilização teve imensos desafios que causaram ansiedade. E esses desafios ou problemas resolvidos contam a história da humanidade. Do medo dos predadores ao medo do desemprego, a ansiedade é, em si, o primeiro passo para resolver um problema. Em níveis normais, ela nos prepara, faz traçar planos alternativos diante de imprevistos, nos dá foco e pode ser um caminho para a criatividade. Curioso é constatar que hoje temos mais expectativa de vida, maior segurança alimentar, mas continuamos ansiosos. O problema da ansiedade é que, em níveis elevados, ela desencadeia vários tipos de patologias da mente como pânico, fobia social, transtorno do estresse pós-traumático e, também, enfermidades físicas, como fome excessiva, indigestão, úlceras estomacais, intestino preso ou solto, insônia, sono agitado ou fragmentado, hipertensão arterial, arritmias, enxaquecas, alterações sexuais, fibromialgia etc.

A síndrome do pânico é um transtorno de ansiedade que pode fazer com que a pessoa, durante uma "crise", sofra de forma intensa e com proporções imensuráveis em um curto espaço de tempo. Quando entrevistei o padre Fábio de Melo, em uma manhã de domingo na Serra da Mantiqueira, em São Paulo, fiquei sensibilizada ao ouvir dele, em um ambiente cheio de natureza e silêncio, sobre a sua experiência de ter vivenciado duas crises de pânico: "Na primeira vez, acordei no meio da madrugada passando mal, querendo vomitar, com a pressão alterada e fui parar no hospital. Depois de alguns exames, o médico disse que eu não tinha nada fisicamente, mas que eu tinha sofrido uma crise de pânico. Já na segunda vez, eu não conseguia descer do veículo que me transportava para fazer um show. Sentia medo das pessoas, meu coração acelerava, a vista escurecia e eu tinha uma sensação de vazio", relembra.

Tudo isso aconteceu após sete anos de agenda intensa de compromissos. No auge do seu reconhecimento nacional, Padre Fábio chegava a fazer 25 shows por mês pelo país. "Eu experimentei um sucesso daqueles que não me deixava sair na rua. E essa fama provoca muita ansiedade e responsabilidade de continuar produzindo mais coisas que vão agradar ao público. Pensava: será que meu próximo CD vai fazer sucesso? E o próximo livro? Essa cobrança me fazia viver na ansiedade do futuro", conta. Depois das duas crises de pânico, Padre Fábio reduziu o número de compromissos. "Eu precisava de mais tempo para mim. Não era justo oferecer tanto aos outros e não me conceder nada; em pouco tempo eu não teria mais o que oferecer. A sensação era de um tempo opressor. Era lento nos deslocamentos para os shows, mas muito rápido quando eu estava de folga. Nesse período, quando eu chegava em casa, depois de um mês e meio fora, sentava no chão e chorava", confessa.

Mesmo exausto, não foi fácil para ele pisar no freio. "Eu vivia preocupado se a decisão de desacelerar poderia impactar no estilo de vida das famílias das oitenta pessoas que trabalhavam comigo, além das responsabilidades com a minha própria família", explica. Hoje, ele consegue recusar algumas propostas de trabalho, entrevistas e outros eventos porque entendeu que o tempo é a sua maior riqueza. "Com as crises de pânico, percebi que a fatura de tanta negligência com o próprio tempo chega a qualquer momento. Agora, meu limite é ficar dez dias fora de casa, mesmo que isso seja um absurdo aos olhos de empresários e produtores. Quem olha minha agenda de fora não sabe quanto um compromisso a mais vai me custar. Não tenho mais medo de dizer não para algumas oportunidades. Quer coisa mais luxuosa do que ter tempo para poder passar um dia com a minha mãe? Aprendi que eu sou o senhor do meu tempo", reconhece.

Neste comovente relato do padre Fábio, percebi que, para encarar e aceitar a falta de tempo, é preciso humildade para olhar de forma criteriosa o excesso de atividades, e que dizer "NÃO" pode ser um dos caminhos para uma agenda com mais espaços, respiros e mais tempo para identificar o que é, de fato, mais importante e saudável em cada período da vida. Entretanto, mesmo com a rotina de observação do que está acontecendo com a nossa agenda, tempo, corpo e mente, teremos que encarar novas situações desafiadoras o tempo todo. O padre, quase um ano depois da primeira entrevista, teve mais duas crises durante uma turnê no Nordeste, mas, felizmente, reagiu de outra maneira. "O pânico é um processo que acho que vou ter que administrar para o resto da vida. Identifiquei os sintomas físicos (parece que estou tendo um infarto, um ataque do coração) e converso com eles. Eu não acredito na cura total, acredito que a mudança de atitude diária ajuda mais. Quanto menos estressado estou, maior é a minha condição de administrar o momento. Estou mais feliz com minhas escolhas", conclui.

Síndrome do pensamento acelerado

O psiquiatra e psicoterapeuta Augusto Cury explica que o ritmo estressante, consumista, acelerado e o excesso de estímulos, atividades e informações provenientes do avanço tecnológico alteraram o ritmo de construção dos pensamentos. Esse fato está provocando consequências sérias para a saúde emocional, além de também estar afetando o prazer de viver. Em seu livro *Ansiedade, como enfrentar o mal do século*, ele afirma que, provavelmente, 80% das pessoas de todas as idades estão vivendo a Síndrome do Pensamento Acelerado, ou SPA.

> "A SPA dificulta o processo de elaboração das informações como conhecimento, do conhecimento como experiência e da experiência como função complexa da inteligência, ou seja, pensar nas consequências, expor e não impor as ideias, colocar-se no lugar dos outros, proteger a emoção e principalmente gerenciar pensamentos."
> Augusto Cury

A hiperconstrução dos pensamentos transforma a ansiedade vital em doentia. Para ele, a SPA é a morte precoce do tempo emocional. "Quem tem uma mente agitada, quem é uma máquina de informar e pensar, ultrapassou os limites saudáveis da movimentação e poderá desenvolver a Síndrome do Pensamento Acelerado." Segundo ele, alguns sintomas dessa síndrome são déficit de memória e de concentração, dor de cabeça, dificuldade de lidar com pessoas lentas, insatisfação e baixa resistência a frustrações. Com o tempo, a SPA pode destruir a autoestima e as relações pessoais de um indivíduo. Para combater a ansiedade doentia, é fundamental achar formas para desacelerar os pensamentos. E para desacelerar é preciso excluir. Essa reforma íntima começa com uma faxina mental para selecionar as informações que realmente são importantes e descartar o que não é mais útil no contexto atual. Tanto a ansiedade como as preocupações e aflições dos novos tempos modernos não são exclusivos da "Idade da Internet". O filósofo Sêneca, que viveu entre 4 a.C. e 65 d.C., já dizia que "dedica-se a esperar o futuro apenas quem não sabe viver o presente. Infeliz é o espírito ansioso pelo futuro".

> "Só existe um remédio para a angústia: a decisão."
> Paulo Gaudêncio

A psiquiatra Ana Beatriz explica que, quem vive um presente afoito demais e tenta fazer dez coisas simultaneamente, consome o tempo, não vive o tempo. Ela lembrou uma frase muito mencionada por muitos profissionais da área da saúde: "Depressão é excesso de passado, estresse é excesso de presente e ansiedade é excesso de futuro".

Depressão

"O luto, a tristeza e a ansiedade são reações necessárias e salutares diante das perdas. No entanto, se a dor começa a se estender por um tempo e se mantém de maneira intensa e incapacitante, tenderá a transformar-se em um quadro de depressão", explica a psiquiatra Ana Beatriz.

Muita gente que vive crises de ansiedade demora a procurar ajuda. São pessoas muito responsáveis com o que se comprometem a fazer e valorizadas no ambiente social. Sentem que não podem perder tempo com nada e, com isso, sofrem um grande desgaste emocional, recorrendo a algum tipo de tratamento apenas quando desenvolvem a depressão — uma doença que paralisa a caminhada, murcha a esperança como se fosse uma planta sem água e inviabiliza qualquer alternativa, por melhor que seja. A depressão é a ausência de criatividade, a incapacidade de conviver com outras pessoas, pensar e agir para construir o futuro, como algemas do passado. No mundo são mais de 320 milhões de depressivos, de todas as idades, o que faz dessa a principal causa de incapacidade profissional no planeta, já que contribui para agravar diversas outras doenças. Ela atinge mais mulheres do que os homens, e pode levar ao suicídio.

O Brasil é o segundo país com o maior número de pessoas com depressão, cerca de 12 milhões de pessoas, atrás apenas dos Estados Unidos.

Tão grave quanto o problema é saber que mesmo com todas essas informações o assunto não recebe a atenção devida. O preconceito pode impedir a interpretação correta dos sintomas e diagnósticos mais precisos e precoces.

O jornalista Ricardo Boechat, que morreu em um acidente de helicóptero em fevereiro de 2019, teve um "apagão" minutos antes de entrar no ar na rádio Bandnews FM, em 2015. Na época, ele contou que, de uma hora para outra, nenhum texto era compreensível e nada fazia sentido. Depois de ir ao médico, entendeu que a confusão mental que sentiu foi consequência de uma crise depressiva aguda. "Eu nunca pensei que enfrentaria algo tão assustador. Se eu tivesse sido menos ignorante em relação à doença, poderia ter percebido que algumas coisas estavam mais esquisitas que o habitual", me contou por telefone em 2018. Ele se refere à piora da insônia, ao aumento da irritabilidade e ao desinteresse por tudo, algumas coisas que, em certa medida, fazem parte da rotina de muitas pessoas. "Os médicos me disseram que eu estiquei a corda demais, que fiz mais coisas do que deveria fazer em menos tempo do que seria razoável. Fui além dos limites que minha saúde permitia. Ignorei todos os sinais físicos e avisos de minha esposa", relembrou.

Em nenhum momento o jornalista teve receio de falar sobre o assunto, da tristeza profunda que sentiu e, quando retornou ao trabalho, fez questão de compartilhar com o público: "A depressão não escolhe vítimas por seu grau de instrução ou situação econômica. Castiga sem piedade e da mesma forma pobres e ricos, anônimos e famosos. O silêncio do próprio doente ou de quem está a sua volta dificulta a recuperação e realimenta o problema. Essa sombra só complica o tratamento de quem precisa de ajuda. Não basta só querer melhorar ou achar que uma hora a coisa passa", explica. Ou seja, quanto antes um especialista entrar em cena para oferecer a melhor alternativa em tratamentos, com informações relevantes ou medicamentos, melhor. Contudo, a falta de tempo para cuidar da saúde ao menor sinal de desconforto e o baixo conhecimento sobre a doença multiplicam as situações que podem causar muitos prejuízos.

Eu percebo semelhanças entre os relatos do padre e do jornalista com o que vivi, e compreendo também que os diagnósticos seguiram a interpretação de cada médico. Antes do quebra-cabeça ser montado, as peças ficam bem bagunçadas mesmo. Contudo, sendo burnout ou não o que eles viveram, uma coisa é fato: a vida sempre dá um sinal e pede uma pausa antes que algo pior aconteça.

Reinterpretando

Outro caminho que pode levar à depressão é a pessoa se apegar totalmente às situações, escolhas, renúncias, perdas, fatos e sentimentos do passado, como se aquilo que é conhecido, seja ruim ou não, garantisse segurança. Isso acaba se refletindo no trabalho, nas relações pessoais, ou seja, produz consequências no presente.

"O que temos de nossa vida são apenas nossas interpretações. Interpretações para frente, que são nossas expectativas, e para trás, que são as memórias que nossa mente selecionou. A ciência, hoje em dia, sabe que o simples ato de recordar já vai alterando um pouco a lembrança. Então, o passado não é estático, ele vai mudando ao ser lembrado e interpretado de novas maneiras. Além disso, cada memória já é bem diferente do evento em si mesmo; duas pessoas que viveram o mesmo evento vão se lembrar dele de maneira muito distinta", explica o terapeuta e filósofo Victor Stirnimann. Isto quer dizer que o passado é só uma história que contamos a nós mesmos.

Já o neurocirurgião e físico Ricardo Leme complementa o tema com o conceito sobre o que é ser "prisioneiro do tempo": "A forma como você está no mundo é uma opção pessoal. A necessidade de alguém pertencer a um determinado espaço é extremamente aprisionante no sentido de a pessoa não ter mais tempo. Quem tem tempo não pertence e não quer agradar a nenhum espaço; esse indivíduo apenas habita esse espaço e não é sequestrado pelo convencionalismo ou pelas instituições. É uma pessoa livre. Nós conhecemos poucas pessoas livres, porque muitas têm dívidas, têm prestações, e esses compromissos dão a sensação de que elas têm que fazer as coisas de uma determinada forma, em um determinado período de tempo. Se livrar disso para poder realmente estar presente implica em pensar", esclarece.

"Organizamos nossas experiências em um antes, um agora e um depois, e temos um grande apego a essa historinha que vamos contando — o que tantas vezes é a causa de nossa depressão ou ansiedade. A pessoa que sempre reclama da falta de tempo está vivendo, de certo modo, uma fantasia de onipotência. Ela gostaria de ter tempo para fazer tudo, atingir todas as metas, responder a todas as demandas", pondera Stirnimann.

Ou seja: para termos mais tempo, mais vitalidade e mais saúde, é evidente que precisamos olhar para o dia, para a agenda, para o calendário, e, principalmente, para o relógio, com outros olhos. Se todos acordamos com as mesmas 24 horas, porque uns conseguem viver uma vida mais leve, menos corrida, sem dores, e outros não? Por que uns preenchem o dia com pensamentos novos e outros com pensamentos do que já passou, revivendo sentimentos de tristeza ou angústia que só fazem mal? Por que uns estão reclamando da falta e outros do excesso de tempo? Depois de muito observar e ouvir mais de uma centena de pessoas, famosas e anônimas, entendi que, se alguém está bem de saúde e se enrola com prazos e horários, o problema não é do tempo, mas sim do dono da agenda.

> A organização pessoal é o primeiro passo para entendermos que o tempo não é o vilão. Nós é que estamos tentando nos transformar em máquinas cumpridoras de tarefas.

Em tempo: cada caso é um caso nas diversas manifestações da depressão e ansiedade. Vários gatilhos podem desencadear as doenças mencionadas neste capítulo, sendo dezenas de classificações para cada uma delas. A medicina oferece vários tratamentos, mas o foco aqui é alinhar a ansiedade, o estresse e a depressão como condições que podem estar associadas à sensação de falta ou excesso de tempo.

3
Tempo para dormir

Tempo, tempo, tempo meu...
Feliz de quem é dono do seu.
Ana Beatriz Barbosa Silva

Thomas Edison dizia dormir de três a quatro horas por dia e descansar, mais que isso era perda de tempo. Talvez por esse motivo ele tenha buscado desenvolver a primeira lâmpada comercializável em 1879; ela brilhou por 45 horas seguidas e a humanidade passou a ter atividades também no período noturno.

Hoje em dia, para dar conta de uma agenda com dezenas de compromissos, muita gente tem maximizado o dia dormindo menos à noite. A médica neurologista e professora da Unifesp, Dalva Poyares, afirma que dormir menos para produzir mais é muito prejudicial à saúde. Ela é uma das especialistas do Instituto do Sono de São Paulo. "É um paradoxo achar que, dormindo menos, você produzirá mais, já que, infelizmente, não é isso o que acontece. Pode ser que daqui a milhares de anos isso seja possível, mas por enquanto não é. Entendo que a palavra do momento seja desempenho; no entanto, com mais demandas e com o dia do mesmo tamanho, as pessoas devem tomar cuidado com a forma que administram o seu dia. Para o organismo ter um bom desempenho, é necessário dormir bem, estar descansado e cem por cento acordado", esclarece. Puxão de orelha dado, lembrei de ouvir uma vez que é só dividir as 24 horas do dia por três e está tudo resolvido: oito horas para dormir, oito horas para trabalhar e oito horas pra deslocamentos, alimentação, higiene, estudos e outras atividades. Simples, não é? O problema é que, na prática, em muitos casos, os deslocamentos exigem mais tempo, o trabalho dura mais de dez horas e o tempo do sono é que será subtraído. Em São Paulo, uma cidade conhecida por funcionar 24 horas por dia, seis de cada dez moradores não conseguem dormir bem. Quanto mais estresse e medo, mais insônia, de acordo com os especialistas. Nos últimos dez anos, os paulistanos perderam cerca de quarenta minutos de sono a cada noite, tempo que tenta ser recuperado nos fins de semana. Quando terminou o horário de verão em 2017 e em 2018 perguntei aos seguidores das minhas redes sociais o que eles fariam com a horinha a mais do domingo, mais de 90% de quase duas mil pessoas responderam que usariam a hora para dormir. Ou seja, uma pequena amostra da necessidade de se colocar o sono em dia.

Desafios e atritos temporais

Para tentar recuperar uma noite maldormida podem ser necessárias até três noites dormindo normalmente. O problema é quando o déficit de sono vira um estilo de vida. A neurologista alerta para uma fatura que não falha nem tarda a chegar. Mais de oitenta distúrbios do sono podem levar à diminuição da qualidade de vida.

"Quem sacrifica o sono diariamente para dar conta das demandas profissionais e intelectuais pode desenvolver problemas a curto, médio e longo prazo. Primeiro, percebe-se a falta de concentração, ocorrem mudanças no humor, aumento de peso, depois podem aparecer as infecções, problemas circulatórios e gastrointestinais, diabetes, pressão alta e até câncer. Mulheres que trabalham no turno da noite, por exemplo, têm mais chances de desenvolver câncer de mama", alerta a neurologista.

O professor de neurociências da USP Luiz Menna-Barreto é um dos responsáveis pela introdução e pesquisa da cronobiologia no país, uma ciência que estuda a dimensão temporal da vida, os ritmos e fenômenos físicos e bioquímicos que ocorrem nos seres vivos em função do tempo. Ele divide os desencontros entre ambiente e organismo em duas categorias: os desafios temporais e os atritos temporais, que são mais prejudiciais à saúde.

"Desafios seriam desajustes passageiros, como ocorre quando passamos uma noite estudando ou festejando. A sonolência vai aparecer no dia seguinte e logo depois desaparece. Já no caso de persistirem os desajustes, teremos os atritos que provocam consequências mais graves. O indivíduo pode apresentar sinais e sintomas de alterações diversas, tanto no comportamento como no funcionamento de sistemas orgânicos. Talvez a maior vulnerabilidade do organismo se expresse na diminuição da resistência do sistema imunológico, e aí aumenta a propensão a patologias. É um custo altíssimo para o indivíduo e para a sociedade", complementa o professor.

Afinal, quantas horas são necessárias para um sono ideal?

Pouco tempo para dormir é ruim, e tempo sobrando não é sinônimo de tranquilidade. A quantidade ideal de horas de sono é determinada pela genética, mas também depende da faixa etária, das necessidades e do estilo de vida de cada um, além de mudar com a passagem do tempo. Alguns precisam de uma quantidade maior e outros de uma quantidade menor. Tanto é que existem os pequenos dormidores, que se sentem bem dormindo apenas seis horas, e os grandes dormidores, que precisam de nove horas ou mais. "O corpo apresenta funções rítmicas que se repetem com determinados intervalos de tempo. Esses ritmos apresentam um padrão comum para a espécie humana, mas com muitas variações", explica o professor Luiz Menna-Barreto. Um sinal de que você dormiu a quantidade suficiente está na disposição sentida para realizar as atividades no dia seguinte. Além da quantidade de horas, é importante reconhecer também em qual período do dia você se adapta melhor.

- **Matutinos:** gostam de acordar e dormir cedo e se sentem bem-dispostos na parte da manhã;
- **Vespertinos:** preferem dormir e acordar mais tarde. O pico da disposição acontece no período da tarde. E ficam sonolentos se precisam acordar cedo;
- **Intermediários:** possuem uma maior flexibilidade para dormir mais cedo ou mais tarde, sem prejuízo ao seu bem-estar.

Só recentemente o economista Ricardo Amorim começou a colocar mais atenção no tempo de dormir e descobriu que, para estar cem por cento no dia seguinte, precisa dormir oito horas. "A partir do momento em que comecei a medir meu sono com a ajuda de um aplicativo, percebi que me sinto fisicamente melhor dormindo oito horas ou perto disso. Quando só posso dormir de quatro a cinco horas, sinto diferença até na minha capacidade de raciocínio. Quando isso acontece na noite anterior de uma palestra, tenho que ficar mais atento às palavras para não falar bobagem", resume.

Para a *National Sleep Foundation* (Fundação Nacional do Sono), organização norte-americana que estuda os distúrbios do sono, para cada faixa etária existe um número de horas recomendado, o que é apropriado e o que não é recomendado; esses dados foram baseados em pesquisas realizadas no mundo todo desde a década de 1990. Veja em qual grupo você se encaixa:

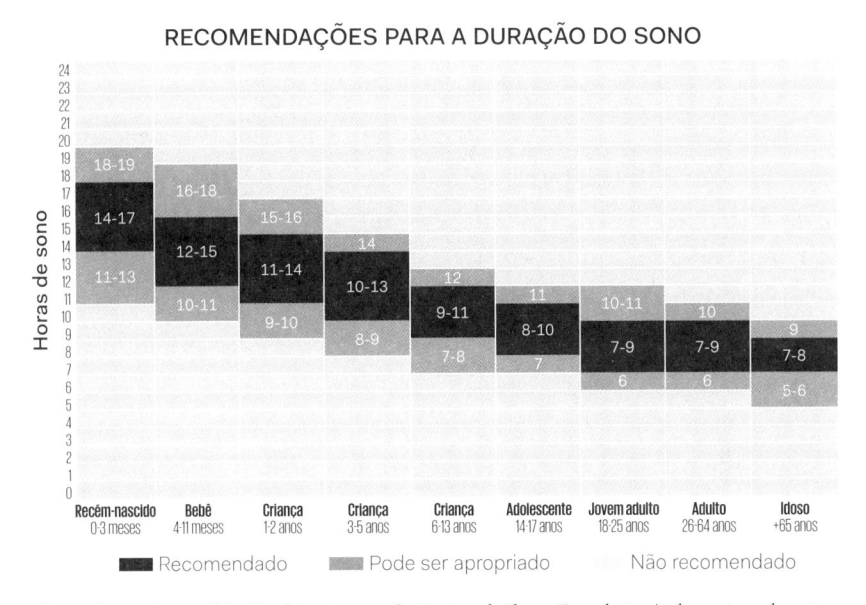

RECOMENDAÇÕES PARA A DURAÇÃO DO SONO

Faixa etária	Recomendado	Pode ser apropriado
Recém-nascido (0-3 meses)	14-17	11-13 / 18-19
Bebê (4-11 meses)	12-15	10-11 / 16-18
Criança (1-2 anos)	11-14	9-10 / 15-16
Criança (3-5 anos)	10-13	8-9 / 14
Criança (6-13 anos)	9-11	7-8 / 12
Adolescente (14-17 anos)	8-10	7 / 11
Jovem adulto (18-25 anos)	7-9	6 / 10-11
Adulto (26-64 anos)	7-9	6 / 10
Idoso (+65 anos)	7-8	5-6 / 9

Fonte: baseado em M. Hirshkowitz et al. *National Sleep Foundation's sleep time duration recommendations: methodology and results summary.* Sleep Health. 2015, n. 1, p. 40-43.

"Não temos um número ideal de horas de sono para todos, mas, independentemente da idade, quem dorme menos de seis horas por dia, além da propensão a doenças, tem quatro vezes mais chances de morte", revela a presidente da Associação Brasileira do Sono, a neurologista Andrea Bacelar. Não é à toa que a privação de sono já foi usada como técnica de tortura.

Além do importante alerta, baseado em estudos empíricos, a neurologista também associa a quantidade insuficiente de horas de sono ao desempenho acadêmico ruim dos adolescentes que estão na escola, principalmente os que estudam de manhã. Apenas um terço dos dezesseis milhões de jovens brasileiros dorme o necessário e isso interfere nos mecanismos de aprendizagem. "Alguns alunos não têm freio e usam o smartphone durante períodos em que já deveriam estar dormindo. Eles sentem que precisam estar conectados o tempo todo e, voluntariamente, privam-se do sono, dormindo menos do que o corpo precisa", explica.

Já na privação involuntária, a quantidade de horas de sono satisfatória não é atingida ou porque a pessoa não pode (por excesso de compromissos), ou porque se deita e não consegue dormir. Episódios de insônia, de duas a três vezes por semana, atingem 35% da população brasileira. Destes, 20% são crônicos, ultrapassando 90 dias do problema de acordo com a dra. Andrea. E ela ainda chama a atenção para a epidemia de problemas do sono que o país está vivendo.

"As pessoas não conseguem dormir porque estão acumulando preocupações nesses tempos difíceis de crise, com excesso de competitividade e com jornadas duplas e até triplas. Não conseguem se entregar ao descanso porque estão muito ansiosas ou muito deprimidas", complementa.

Os smartphones, tablets e notebooks também têm contribuído para a insônia de muitas pessoas que levam a tecnologia para a cama e, consequentemente, envolvem o cérebro em informações estimulantes que podem provocar a produção de serotonina ou adrenalina fora de hora. Cientistas da Faculdade de Medicina de Harvard também descobriram que ondas de luz de determinados comprimentos podem suprimir a melatonina, o hormônio produzido no cérebro que induz o sono e só é liberado totalmente quando o ambiente está escuro! A melatonina regula as secreções metabólicas e o sistema imunológico. A produção do hormônio diminui especialmente nos idosos e nas mulheres após a menopausa. O sono insuficiente se tornou tão presente que é considerado, desde 2014, uma epidemia de saúde pública nos Estados Unidos, segundo os Centros de Controle e Prevenção de Doenças. Ou seja, o cérebro não desliga.

Ritmos biológicos – o tempo do corpo

Falar sobre quantidade de horas de sono é falar sobre os ritmos biológicos, que estão presentes em todos os seres vivos e consistem em oscilações nas atividades das células, dos órgãos e do organismo como um todo. Dentre os diversos ritmos biológicos já identificados, os mais conhecidos são os ritmos circadianos (do latim *circa diem*, que significa "em torno de um dia"), que são oscilações que se repetem aproximadamente a cada 24 horas.

Os ciclos do sono, da temperatura corporal e da produção de hormônios, por exemplo, são ritmos biológicos e interagem com os sinais ambientais (claro e escuro, dia e noite) e com mecanismos internos, osciladores presentes no organismo, em um processo conhecido como sincronização. Esses ritmos persistem mesmo na ausência de sinais ambientais cíclicos. Se colocarmos alguém em um quarto escuro, por exemplo, onde o ciclo dia e noite não possa ser percebido, essa pessoa vai continuar tendo ciclos de sono e vigília, mas dessincronizados com o ambiente e, provavelmente, com períodos maiores ou menores do que se estivesse sincronizado com o do dia normal.

A persistência dos ritmos circadianos deu origem à expressão "relógio biológico". Mesmo já tendo ouvido esse termo à exaustão, o professor Luiz Menna-Barreto prefere substituir "relógio biológico" por "sistema de temporização circadiana", uma vez que a palavra "relógio" carrega uma expectativa de rigor e precisão que não existe no sistema oscilatório do organismo. O relógio tem 24 horas, já os ritmos do nosso corpo, em geral, ficam em torno de 25 horas. Para essa conta fechar, o professor explica que, no nosso cotidiano, os ritmos biológicos estão sempre sendo ajustados ao padrão de 24 horas.

> "Todo santo dia a gente se ajusta. Herdamos de nossos ancestrais tanto as propriedades de produzir ciclos circadianos como de adaptar esses ciclos ao padrão temporal do ambiente no qual vivemos."
> Luiz Menna-Barreto

O assunto é tão importante que três pesquisadores norte-americanos receberam o prêmio Nobel de Medicina em 2017 por terem desvendado os mecanismos moleculares que controlam os ritmos circadianos. Michael Rosbash, Jeffrey Hall e Michael Young conseguiram isolar o gene que codifica uma proteína que se acumula nas células durante a noite e depois é degradada durante o dia. Essas descobertas explicam como plantas, animais e humanos adaptam seu ritmo biológico de forma que seja sincronizado com a natureza e abrem novas perspectivas para a medicina preventiva, já que o descompasso entre os ritmos internos e externos pode afetar temporariamente o bem-estar, como é o caso do *jet lag* (desconforto causado por uma viagem quando se cruza vários fusos horários) e, a longo prazo, causar doenças degenerativas.

Só quinze minutinhos

Quem já viajou para a Espanha, França ou Itália, por exemplo, e viu portas fechadas no comércio depois do almoço? A *sesta* (ou *siesta*, a soneca da tarde) é tradição em alguns países. Aqui no Brasil, moradores de algumas áreas rurais e pequenas cidades do interior ainda conseguem preservar a tradição do descanso durante o dia. A dra. Dalva Poyares afirma que quem consegue tirar um breve cochilo, não mais que trinta ou quarenta minutos, consegue melhorar a produtividade no período da tarde. Sabendo que esse hábito tem efeito positivo na recuperação da energia e criatividade, o escritório do Google em São Paulo oferece um espaço específico para os funcionários desacelerarem. "À primeira vista, poderia parecer uma excentricidade, mas um espaço fechado, com pouca luminosidade, várias redes, onde não entram celulares ou computadores, acabou se revelando uma excelente forma de não apenas permitir que os Googlers se desconectem, mas também que eles possam tirar aquela soneca, o 'power nap', tão saudável e muitas vezes necessário. O efeito é superbenéfico", contou o presidente do Google Brasil, Fabio Coelho.

Bêbados de sono

Essa expressão está correta e tem tudo a ver com o que acontece no nosso corpo quando dormimos menos do que deveríamos. Por exemplo, quando um motorista sonolento começa a dirigir, acontece um adormecimento involuntário, mesmo sem estar sob efeito de álcool (3.800 acidentes provocaram a morte de 371 pessoas em 2017 nas rodovias federais porque os motoristas dormiram ao volante). Os reflexos diminuem, há dificuldade de compreensão e lapsos de memória porque os sinais que o cérebro manda para os músculos ficam mais lentos.

Mesmo que não haja uma quantidade oficial para o repouso, vale ressaltar que, em qualquer ser humano, o sono é fundamental para restaurar o cérebro e para a formação de memória (armazenando as informações aprendidas durante o dia), recupera o cansaço físico, o sistema imunológico e as células, entre outras maravilhas que só depois de uma boa noite de sono você vai saber e sentir. Quando consigo dormir oito horas parece que o dia fica até mais colorido!

"Dormir não é perda de tempo."
Dra. Dalva Poyares

4
Diagnóstico não é sentença

> *Saúde é a arte de acolher a vida assim como ela é, em suas virtudes e em seu entusiasmo intrínseco, mas também em sua finitude e em sua mortalidade.*
> Leonardo Boff

Enquanto avaliamos a percepção do tempo apenas pela ótica da rapidez ou lentidão das atividades, ficamos fazendo uma conta que está apenas sob o nosso controle: incluir ou não mais compromissos, assumir ou não mais responsabilidades, descansar menos ou aproveitar mais... Mas e quando a vida, o tempo e a sua percepção são violentamente alterados por uma doença, acidente ou perda irreversível?

Saúde exige consciência; saber que o número de dias em que estaremos vivos é, além de limitado, variável, conforme escreveu Eduardo Giannetti em seu livro *O valor do amanhã*, tem o poder de perturbar qualquer um. "O arco da vida é finito, mas sua duração é desconhecida. Ninguém sabe ao certo quantos dias de vida lhe restam." Entretanto, quando alguém recebe o diagnóstico de uma doença que pode reduzir sensivelmente o seu tempo de vida, sua percepção da brevidade do tempo se cristaliza e começa a pesar.

O dr. Riad Younes, diretor-geral do Centro de Oncologia do Hospital Oswaldo Cruz de São Paulo, trabalha em média dez horas por dia. Ele passa a maior parte desse tempo acompanhando pacientes com câncer no pulmão, um dos mais agressivos. É dele a missão de informar, baseado em estatísticas que levam em conta as características da doença e do paciente, os prazos que começam a se desenhar a partir de exames que revelam a doença. Com mais de trinta anos de profissão, ele já viu todo tipo de reação dos doentes e familiares, e me contou sobre um questionamento frequente: "Quanto tempo eu tenho, doutor?".

"Pronto. A partir dessa conversa, a 'chave' do tempo começa a virar. Hoje, os tratamentos disponíveis avançaram muito e o câncer é tratado de forma menos emocional. Mesmo assim, a maioria chora, faz muitas perguntas ou fica em silêncio. Primeiro, é preciso reconhecer o grau da doença e o que a medicina pode oferecer", explica. Acompanhei o trabalho do dr. Riad durante uma consulta e percebi que ele tem muita delicadeza ao informar detalhes dessa doença que carrega tanto medo e incerteza. O oncologista sabe que uma comunicação clara e sensível pode influenciar nas decisões do paciente; por isso, ele procura investir o tempo que for necessário para explicar sobre os critérios de cura, caso a caso.

"Alguns tipos de câncer são mais tratáveis do que outros; quanto mais precoce o diagnóstico, mais chances a pessoa terá de não passar por tratamentos demorados, invasivos, dolorosos ou incapacitantes. Além disso, outras doenças também não têm cura, como a diabetes, por exemplo, e muitos pacientes convivem com ela por toda a vida. Então, há que se ter muita responsabilidade na hora de informar os pacientes sobre qualquer prazo de recuperação ou expectativa de vida", explica.

> "A incerteza do tempo é uma bênção."
> Riad Younes

Você já ouviu histórias de pessoas que receberam um "prazo" da medicina e reverteram todas as previsões? É triste constatar quando o porta-voz da saúde, por muitos motivos, enterra as possibilidades da existência de um futuro em apenas alguns minutos, mas fico aliviada quando conheço médicos que, como o dr. Riad, dão o diagnóstico de tal forma que não tiram a esperança das pessoas. "Em 2004, por exemplo, metade dos pacientes que sofriam de metástase (quando o câncer avança para outros órgãos) morria em seis meses. Em 2017, dependendo do tratamento e da evolução da saúde do paciente, esse tempo podia durar até quatro anos. Nossa função na medicina é esticar vidas, com tratamentos e remédios, mas são os familiares que injetam mais tempo e mais qualidade nesse tempo do paciente. Dependendo da religião, das crenças pessoais e da forma como o paciente encara a doença, se ele tiver um olhar positivo, por exemplo, percebo que o seu planejamento passa a ser de curto prazo. O doente começa a querer viver um dia, um mês de cada vez. A percepção da morte iminente faz com que ele queira acrescentar mais vida ao tempo e não mais tempo naquela vida", detalha. Ele acredita que a maioria das pessoas perdeu o controle do tempo justamente por ocupar todo o dia com alguma coisa, algum compromisso etc. Quando recebem o diagnóstico de uma doença que pode abreviar suas vidas, elas saem do piloto automático e prestam mais atenção na vida que estão levando.

> Todos os dias, saímos de casa sem pensar
> que poderemos não voltar.

À espera de um doador

Se você acha que o tempo está passando muito rápido, pergunte o que sente quem está se recuperando de uma doença em casa ou no hospital. De nada adianta ter tempo sobrando se não há disposição. E para quem precisa de um transplante, o tempo na fila para a cirurgia dura o tempo da chegada de um doador — e isso está absolutamente fora do controle de qualquer pessoa. Sabemos que quem tem dor tem pressa e cada história é uma história.

Acompanhei o Cristiano, de 41 anos, até o oitavo andar do InCor, o Instituto do Coração do Hospital das Clínicas da Universidade de São Paulo. É dali, de uma ampla janela com vista para o heliponto, que alguns pacientes passam dias olhando vidro afora, esperando o futuro coração pousar (os órgãos doados, na maioria das vezes, chegam de helicóptero). Há cinco anos Cristiano esperava por um transplante. O seu coração, no entanto, pediu ajuda pela primeira vez em 2001, na Bahia. Subitamente, em um final de semana, ele começou a sentir um forte cansaço e muita dificuldade para respirar. Morava com a mãe em Ilhéus e, quando conseguiu ser atendido, o médico entregou um bilhete para ela. Assustada, mas sem deixar que ele lesse o que estava escrito, foram para outro hospital. Após o bilhete ser repassado para outro médico, a equipe trouxe imediatamente uma maca e Cristiano foi direto para a UTI. Ficou uma semana internado e, depois de mais exames, começou a tomar medicações para o coração. Três anos depois teve que parar de trabalhar e, com insuficiência cardíaca, foi aposentado em plena juventude.

O tempo passou, os remédios faziam efeito mas, em 2009, ele voltou a passar mal. Os enjoos e o cansaço retornaram, e ele só conseguia andar se escorando nas paredes. Passou por algumas internações até ter uma parada cardíaca em 2010. Depois disso, começou a tratar a miocardiopatia dilatada idiopática (quando o coração enfraquece e não bombeia sangue de forma eficiente) no InCor, em São Paulo. Entre idas e vindas de Ilhéus para a capital paulista passaram-se quatro anos, até que, em 2014, depois de uma consulta, teve um AVC (acidente vascular cerebral). Ficou 45 dias internado, soube que teria que fazer um transplante de coração e entrou para a tão temida fila. "Quando você recebe a notícia de que vai precisar de um transplante, o mundo cai sobre a sua cabeça. Na maioria das vezes, é um mundo tão distante e você pensa que vai morrer. Eu achava que não ia ter tanto tempo assim. Quando entrei para a fila, a equipe disse que, normalmente, leva-se dois anos para a realização do transplante. Desde então, calculo meus projetos de vida para dois anos. Se eu começar a trabalhar agora, meu coração não aguenta", me contou, emocionado.

Estando na fila do transplante de coração, não teve jeito: Cristiano precisou trocar a Bahia por São Paulo e, nos últimos quatro anos, só sai de casa para ir às consultas no hospital. Tem vontade de ir ao parque do Ibirapuera (o coração verde da capital paulista, que fica na zona sul da cidade), mas prefere não arriscar. A agenda dele é dividida pelos horários dos remédios: 5h, 7h30, 8h, 10h, 15h, 20h e 23h; com isso, criou estratégias para o dia não se arrastar.

"Hoje o órgão que eu mais uso é o cérebro. Penso no que eu poderei fazer lá na frente e não no que estou deixando de fazer. Eu piro se pensar nisso. Vou ocupando a mente e criando mecanismos para fazer o dia andar, senão passa muito devagar. Nos intervalos entre uma medicação e outra eu durmo, me alimento bem, fico no sol e assisto a filmes."

Essa combinação entre disciplina, boa alimentação, sono regular e ocupação intelectual tem mantido a saúde dele estável.

Cristiano entrou para a fila na posição de número 32 e em 2017 era o sexto à espera de um novo coração. "Eu quero gerir minha vida sem condicioná-la a algum fator externo. Quero voltar a trabalhar. Sinto saudade da liberdade que eu tinha. Com a doença, voltamos a ser crianças e precisamos pedir autorização para muitas coisas. Eu sei que vai chegar a hora em que vão me ligar. Se minha condição física piorar, poderei ser internado, o que é muito ruim para todo o tratamento. Sei que, um dia, chegará um coração que não será compatível com mais ninguém e que será para mim. Já vi muitos amigos indo para a UTI e não voltarem. Prefiro ficar em casa, me cuidando, esperando o momento certo chegar", expõe com muita consciência que saber esperar é um remédio poderoso.

Contudo, ele conta que nem sempre foi calmo assim e que precisou aprender a ter paciência. Viveu uma fase de muita angústia anos atrás e, com o tempo, foi observando e absorvendo conhecimentos dos amigos que passaram pelo transplante. Identificou os comportamentos dos que não conseguiram esperar e percebeu que muitos pacientes ficam nervosos com a demora, querem fazer o transplante a qualquer custo, e que isso não faz nada bem para a saúde como um todo. Hoje, quando o telefone toca, ele já não fica tão ansioso achando que é do hospital; antigamente, o coração disparava.

Fernanda Barone, uma das enfermeiras que fazem parte da equipe que cuida de Cristiano, fica muito feliz e orgulhosa com a sua transformação. "Ele chegou aqui fraco e até um pouco desanimado, mas, com o tempo, foi percebendo que, além de tomar a medicação, ele também poderia cuidar de outra parte importante da própria saúde. Hoje ele transmite força e segurança para outros pacientes que entram na fila", complementa, animada. "Sou outra pessoa. Antes da doença, eu gostava de tudo para ontem. Era muito agitado. Em todas as empresas em que eu trabalhei, sempre exigia muito de mim e dos outros. Hoje sou mais comedido. Aprendi que, se a gente está passando por algo, é para aprender alguma coisa. Só posso agradecer a Deus por isso. Aprendi a viver mais calmo em relação ao estresse e à ansiedade. Estou esperando a minha hora", conta ele.

E a hora do Cristiano chegou. Para minha surpresa, perto do fechamento deste livro, ele me ligou para dizer que estava se recuperando muito bem do transplante. Após cinco anos de espera, deu tudo certo. Cristiano superou as estatísticas e está pronto para recomeçar.

Os prazos da vida

Mesmo com os relatos de esperança de quem venceu ou está vencendo os prazos do relógio, para quem sabe que a vida está por um fio, a espera é muito dolorida e, quanto mais tempo um paciente fica na fila, mais risco de morte ele tem. "Em um ano, 40% dos pacientes à espera de um coração podem morrer", revela o cirurgião cardiovascular dr. Ronaldo Honorato Barros dos Santos. No dia da nossa entrevista, quatro pacientes em caráter de prioridade, ou seja, em situação cardíaca gravíssima, esperavam por um doador compatível dentro da UTI do InCor. O tempo deles estava realmente se esgotando e eles já estavam preparados para a cirurgia que poderia acontecer a qualquer momento. Outros 24 pacientes ainda estavam na fila para seguir para a unidade de terapia intensiva.

A questão é que, em um setor de transplantes, para se ter vida é preciso que antes haja um processo de morte. O doutor explicou que o coração é o órgão mais sensível, o que menos resiste sem oxigenação — em média, apenas quatro horas. O rim, por exemplo, resiste até 24 horas e o pulmão, até oito horas. "Cada segundo conta para a vida de um paciente que precisa substituir o coração. Eu e minha equipe ficamos de plantão 24 horas, todos os dias, esperando uma ligação que nos coloque em contato com a chance de salvar uma vida", revela.

Pelas mãos dele já passaram mais de 210 corações e ele faz de tudo para coletar o órgão seja onde for. "Como já perdi órgãos sendo transportados em aviões comerciais (por questão de segundos não havia tempo de embarque), hoje eu freto até helicóptero para fazer uma captação à distância. Como lido com o tempo dos outros, preciso fazer o meu melhor para ganhar tempo. O meu tempo é diferente do tempo do paciente", revela ele, com entusiasmo.

Em tempo: quando surge um coração, isso não significa que o primeiro da fila seja operado imediatamente; existe todo um processo de elegibilidade para a cirurgia. Os critérios são compatibilidade do grupo sanguíneo, peso, se o coração tem condições de bombear o sangue do paciente e, somente depois, leva-se em conta o tempo em que o doente está na fila (que é apenas um critério de desempate). "Em outras situações, dependendo da saúde do paciente, dá para viver apenas com um pulmão, um rim... mas sem o coração não dá. O paciente recebe um cronômetro de uma hora para outra com um diagnóstico de insuficiência cardíaca, e o tempo não vai parar", explica o cirurgião.

O sucesso de um transplante depende, em média, de setenta pessoas. Nessa orquestra humana, da telefonista que faz a ligação de um hospital aos motoristas e pilotos que acabam transportando o coração, todos são importantes. O dr. Ricardo tenta sincronizar todos esses tempos para poupar tempo para a cirurgia, que hoje pode durar em torno de cinco a oito horas (no passado durava até 24 horas). Ele diz que chega a sonhar que está operando de tanto que é apaixonado pela profissão, mas alerta para um tempo que ainda vai determinar se tudo acabou bem: "O único tempo que está em minhas mãos é o tempo da cirurgia; sempre peço ajuda ao Soberano do Tempo (Deus), porque é Ele quem manda. Depois da operação, o coração ainda pode demorar até dois minutos para entrar em sintonia com o ritmo do corpo e voltar a bater — esses dois minutos demoram muito", desabafa o experiente cirurgião. Eu vi, em um vídeo em tempo real, a retomada de um coração recém-transplantado. Inicialmente, estava pálido e com movimentos instáveis, mas em instantes foi se enchendo de sangue e voltou a bater no ritmo da vida. Foi emocionante.

Quantos tempos para uma única cirurgia, quantas emoções envolvidas, quantas vidas são salvas por decisões tomadas a favor de quem ainda pode ter mais tempo? A medicina evoluiu muito, os diagnósticos estão mais precisos, a tecnologia ajuda bastante, mas a decisão de doar é de cada um. Pense a respeito. Devolver a vida para quem está com pouco tempo é um ato de amor. É ver a vida continuar após o fim.

Sem tempo para se despedir

Agora vem um dos depoimentos mais comoventes deste livro. A meteorologista Olívia Nunes me procurou para compartilhar o que aconteceu com ela, pois queria despertar quem está vivendo alguma situação parecida na família. Ela, que lida diariamente com previsões baseadas em dados da natureza, estava no meio de um mestrado quando foi diagnosticada com esclerose múltipla, uma doença autoimune, degenerativa, progressiva e sem cura, que afeta o sistema nervoso central e que pode desligar algumas conexões cerebrais a qualquer instante. Mesmo sabendo que poderia parar de falar e que poderia não ter filhos, por exemplo, não se intimidou, seguiu estudando e, na sequência, começou a trabalhar: "Eu sei que por causa da esclerose pode acontecer alguma coisa comigo a qualquer momento, mas isso pode acontecer com qualquer pessoa. Viver é imprevisível", esclarece.

Ela engravidou da primeira filha aos 29 anos e, logo depois, teve que dividir a alegria da maternidade com o diagnóstico de câncer de mama da mãe. Dona Denilda tinha 61 anos, boas chances de tratamento e não recebeu nenhum prazo dos médicos. Um ano depois, Olívia estava com a mãe curada e com uma bebê cheia de vida em seus braços. Tudo ia muito bem com a meteorologista. Ela não teve nenhuma consequência da esclerose que a preocupasse, engravidou de novo, mas, sete anos depois da cura do primeiro câncer da mãe, soube que a doença havia reaparecido. "O médico me disse que ela veria a neta casar, não nos alertando sobre a possibilidade de essa recidiva ser mais grave."

Elas moravam em estados diferentes. Olívia não conseguia visitar a mãe com a frequência que gostaria por causa das demandas das filhas e do emprego, até que conseguiu programar uma viagem em um feriado e, assim, com a folga no trabalho, teria mais tempo ao lado da mãe. Pegou um ônibus em São Paulo e seguiu para o Rio de Janeiro, confiante de que daria tudo certo, como da primeira vez. Porém dez minutos impediram o último abraço das duas. "Cheguei na rodoviária às 7h35; às 7h25 ela partiu. Não deu tempo de me despedir", me contou ela com os olhos cheios de lágrimas.

Entre a descoberta da recidiva do câncer e a morte da mãe foram apenas seis meses. Depois disso, Olívia viveu nove meses de um luto profundo e frequentemente pensa se um dia poderá reencontrar a mãe. Ela quis compartilhar essa história para alertar, quem quer que seja, para uma atitude mais presente com quem é importante, independentemente de uma doença, sem que a urgência de tratamentos comprima o tempo que resta.

O comunicador, teólogo e orientador espiritual Dalcides Biscalquin orienta que, mesmo que o fim de uma história não seja como você imagina, é muito importante lembrar e refletir que nem todas as histórias, necessariamente, precisam de começo, meio e fim. "A gente fica muito preocupado em histórias cartesianas, nas quais existe uma lógica para tudo. Mas é muito importante pensar no tempo em que você viveu intensamente ao lado da pessoa que partiu, o tempo do afeto e da partilha", explica. A memória do que foi vivido dura para sempre e cada um escolhe o tipo de lembrança que quer ter.

5
Tempo para filhos

A criança é pai do homem.
William Wordsworth

— Você não quer ter filhos?
— Ainda não tenho opinião formada...
Mulheres que respondem com franqueza a esse questionamento sempre recebem olhares de incompreensão. São muitas questões que envolvem uma decisão importante como essa, e pode ter certeza de que a maioria das mulheres tem consciência de que existe uma corrida contra o tempo para engravidar. A ginecologista Ana Lucia Beltrame, especialista em reprodução humana há dezesseis anos, afirma que, diferentemente do homem, a mulher nasce com um número limitado de óvulos para "gastar" ao longo de toda sua vida; enquanto eles renovam o estoque de espermatozoides a cada três meses, a qualidade das células reprodutivas da mulher vai diminuindo com a idade. Ou seja, o óvulo tem prazo de validade mesmo. Conforme o tempo passa, a fertilidade feminina diminui drasticamente enquanto as cobranças e a ansiedade só aumentam. "As taxas de gravidez começam a diminuir de forma mais acentuada após os 35 anos de idade. O tempo de reprodução feminino é mais exigente e mais curto do que o masculino. Apesar de alguns estudos também

mostrarem problemas reprodutivos relacionados à idade do homem, eles acontecem mais tarde e em menor proporção do que com as mulheres", explica a ginecologista.

Há muito tempo a medicina relaciona a maior incidência de problemas na gravidez tardia como sendo uma questão central da biologia feminina no que se refere à saúde do bebê. Entretanto, pesquisas recentes têm desmistificado a relação da idade da mulher como única causadora de problemas de saúde que essas crianças possam vir a ter no futuro. Cientistas de uma empresa que mapeia o genoma humano estudaram os genes de quase quinze mil pessoas e descobriram que, quanto mais idade os pais tinham no momento da concepção, maiores foram as chances de desenvolvimento de doenças nos filhos e, quanto mais velho for o pai, maiores são as chances para o surgimento de anomalias nos cromossomos que podem causar síndromes físicas ou mentais. De acordo com o estudo, em comparação às mulheres, os homens chegam a acumular quatro vezes mais alterações em seu DNA ao longo da vida, justamente pela produção de espermatozoides ser um processo contínuo. Já elas produzem todos os óvulos muito cedo e, mesmo quando esses óvulos envelhecem, não costumam se dividir para gerar novos, o que torna as mutações menos comuns. Isso significa que ter um pai muito mais velho que a mãe implica em herdar um número maior de alterações genéticas — 80% das mutações dependem do material genético paterno.

Ou seja: com o tempo, os óvulos envelhecem e acabam, mas os espermatozoides sem fim podem perder qualidade. A missão de gerar um bebê vai se tornando mais complexa para os dois. "Trata-se de uma pesquisa interessante, mas os consensos não mudam ainda o fato de que para nós, mulheres, o tempo ainda tem um impacto muito maior na fertilidade e nos riscos de cromossomopatias fetais (alterações na formação do óvulo).

Sempre que avaliamos um casal, há a necessidade de se levar em consideração o fator masculino, dentre eles a idade paterna. No entanto, do ponto de vista de eficiência reprodutiva, a idade da mulher ainda é o fator mais importante", explica a doutora. Ocorre que, com as buscas profissionais e intelectuais tanto do pai quanto da mãe, a atual geração tem planejado com mais frequência dois tempos, pelo menos, antes de colocar o foco na maternidade ou paternidade. Primeiro, há o desenvolvimento profissional de cada um, depois o tempo para o casal e, se tudo correr bem, um filho. É preciso sentir o momento certo de cada um em relação a vários fatores para uma vida equilibrada, com divisão de tarefas e responsabilidades para os dois. Contudo, especialmente no caso da mulher, a opção de adiar a gravidez com os métodos contraceptivos vai deixando a decisão para depois. "É papel do ginecologista orientar a mulher em relação às limitações do número de óvulos, que, além de diminuir com o tempo, também perdem a eficiência reprodutiva com a idade", esclarece a dra. Ana Lucia.

Além disso, as indecisas que passaram ou passarão por tratamentos oncológicos ou com histórico de menopausa precoce entre os familiares também precisam, uma hora, pensar no futuro. Para preservar a juventude dos óvulos considerados bons, já que com o tempo os que restam vão perdendo qualidade, a técnica da vitrificação, que consiste no congelamento ultrarrápido dos óvulos, tem se mostrado bastante eficiente e, por consequência, a procura tem crescido entre mulheres com mais de 35 anos que ainda não engravidaram. De acordo com o Conselho Federal de Medicina, nesses casos, a transferência do embrião para o útero deve acontecer até os cinquenta anos da paciente, e o custo pode variar muito, de quinze mil a trinta mil reais. É o valor do tempo para pensar e decidir sem pressão. A dra. Ana Lucia explica que, atualmente, as taxas de gestação com fertilização *in vitro*, proveniente de óvulos congelados, são praticamente idênticas às taxas com óvulos frescos. "A chance de engravidar é estatisticamente calculada a partir da idade do óvulo congelado. Em média, a taxa de gravidez por ciclo de fertilização *in vitro*, utilizando óvulos com menos de 35 anos é de 45% a 50%, caindo para menos de 20% para mulheres com mais de quarenta anos."

Bebê arco-íris

A corrida contra o tempo não perde velocidade nem mesmo para quem sempre teve a certeza de querer gerar uma criança, já que outras questões também podem influenciar no sucesso de uma gestação. Glaucia, por exemplo, cresceu recebendo estímulos da família para casar e ter filhos e, desde que conheceu Ricardo, um bebê já estava incluído nos planos do casal. Depois de três anos de casamento, quando os dois já tinham vivido todas as etapas da vida acadêmica e estavam bem profissionalmente, mudaram-se para um apartamento maior, ela parou de tomar anticoncepcional e, então, passaram a esperar pelo mês em que o resultado de um exame de gravidez daria positivo. Como isso estava demorando a acontecer, ela fez um tratamento para estimular a produção de óvulos e, aos 39 anos, finalmente conseguiu engravidar. Eles estavam radiantes e as famílias de ambos muito felizes, até que, na oitava semana, o coração do bebê parou. "Ficamos muito abalados e tristes. Pensava no que eu poderia ter feito de errado como mãe e por que nós estávamos passando por aquilo", desabafa.

Depois de quase um ano tentando amenizar o luto, ela voltou a estimular a produção de óvulos e o casal teve que seguir um planejamento sexual com cronograma, a fim de facilitar o processo de fecundação. "Essa técnica deixa o casal muito tenso, porque a pressão pela pontualidade e para dar certo é terrível, mexe muito com a cabeça da gente", descreveu Ricardo. Tempos depois ela conseguiu engravidar de novo, mas eles preferiram esconder a informação de todos os amigos e familiares a fim de gerar menos expectativa; no entanto, dessa vez o bebê viveu por apenas cinco semanas. Sofreram calados.

Após dois abortos espontâneos, muitas lágrimas e todos os questionamentos racionais e emocionais esgotados, ela fez, já com 41 anos, uma análise genética e descobriu que tinha trombofilia, uma disfunção silenciosa que engrossa o sangue da mãe, pode formar coágulos e contribui para o entupimento das veias. É um problema sério, pouco conhecido e, embora coloque em risco a saúde do bebê e da mãe, o exame que o identifica não faz parte dos testes de pré-natal das futuras mamães (que podem ter o problema por origem genética ou desenvolvê-lo ao longo da vida). A boa notícia é que, tratando-se da doença, a mãe pode engravidar se passar por acompanhamento médico.

E assim, tempos depois, eles receberam o aval médico para tentar outra gravidez, dessa vez com a ajuda de outra técnica, a inseminação artificial. Fizeram duas tentativas, mas não conseguiram. Depois disso, eles deram um tempo no sonho da maternidade e da paternidade. "Ficamos destruídos emocionalmente. Mas nunca desistimos nem perdemos a fé de que, uma hora ou outra, conseguiríamos realizar nosso sonho", desabafa o pai.

Eles deram tempo ao tempo e continuaram atentos a outros médicos e alternativas para ajudar Glaucia a engravidar. Tentaram outro método de reprodução assistida, a fertilização *in vitro*, e também não tiveram sucesso. Mais frustração, tristeza, cobranças internas, externas e sensação de impotência. Esperaram mais um tempo, mas agora a idade de Glaucia apontava para uma gravidez ainda mais arriscada, já que ela estava com 43 anos. "Meu sonho era ver a minha barriga crescer, sentir o bebê mexendo dentro de mim", confessa.

E assim, depois de quatro anos tentando, trocando de médicos e unidos por essa vontade genuína, fizeram outra fertilização e, dessa vez, o *bebê arco-íris* chegou. Esse termo é dado para os bebês que chegam depois de abortos espontâneos ou outros tipos de perdas, período de muita tristeza para a família que enfrentou dias muitos cinzentos e difíceis. Como o sol que aparece depois de uma forte tempestade e colore o céu trazendo esperança, o *bebê arco-íris* traz luz para a vida do casal.

Glaucia estava com quatro meses e meio, ou dezoito semanas, quando a entrevistei. O nascimento de um bebê é estimado quando a gestação completa quarenta semanas e o trabalho de parto espontâneo pode acontecer até a 41ª semana. Deu tudo certo. O Arthur, um bebê saudável com três quilos e 46 centímetros, nasceu dois dias antes do planejado, já proporcionando muita emoção para a vida de seus pais e avós. "Cada dia foi vencido com amor e confiança. Eu sabia e sentia que uma hora daria certo. O Arthur resgatou nossa alegria", conta uma mãe sorridente, entusiasmada e muito perseverante.

Adoção

Diferentemente da Glaucia, que sempre quis casar e ter filhos, o que pode acontecer com as mulheres que cresceram com orientações diferentes? Depois que o tempo passa, a maturidade pode desenvolver a vontade de ser mãe? A jornalista Astrid Fontenelle é de uma geração que foi criada por mulheres livres.

A mãe era feminista assumida e falava que a filha deveria focar uma profissão de sucesso, além de ser dona do próprio nariz. Os planos pessoais seguiam na contramão da maternidade e ela nunca tinha pensado em ficar grávida. Mas, depois de ter conquistado uma carreira irretocável, que proporcionou segurança financeira, ela mudou de ideia aos 46 anos. "Comecei a ter vontade de adotar uma criança, porque percebi que, até então, não tinha para quem passar tudo o que eu tinha adquirido. Não me satisfazia mais transmitir conhecimento só pela televisão. Também não era o caso de escrever um livro. Eu queria poder, realmente, formar o caráter de uma pessoa bacana para o mundo", conta.

A partir dessa decisão, que não exigia estar com alguém com o mesmo projeto de vida, deu entrada nos papéis da adoção e o tempo adquiriu outras formas. É importante ressaltar que, depois de se inscrever como candidatos na Vara da Infância e da Juventude, os pretendentes à adoção passam por uma série de entrevistas com profissionais da área de psicologia e serviço social para garantir que não haverá desistência no futuro. Essas análises são rigorosas e não seguem um tempo definido. Podem demorar semanas, meses e até anos entre uma etapa e outra.

"O meu processo durou dez meses. Fiquei ansiosa, mas achei até rápido. Só que, quando identificaram uma criança com o perfil que eu gostaria de adotar, o tempo parou. Do chamado do juiz até eu conhecer meu filho, passaram-se seis horas no relógio, mas, na minha percepção, foi o maior tempo do mundo. Durou uma eternidade", revela.

No horário marcado, conforme ia se aproximando da sala onde sabia que encontraria um bebê de quarenta dias, um choro forte foi preenchendo o espaço entre a chegada de uma mãe adotiva e o destino de um bebê que não tinha sido acolhido pela mãe biológica. Assim que ela o pegou no colo, o choro parou imediatamente e ela entendeu, em frações de segundo, os laços que desenvolveriam a partir dali. "Naquele momento eu reconheci que ele era meu filho. O Gabriel tinha acabado de nascer no meu coração", relembra da cena com bastante emoção.

Astrid reconhece que a maturidade foi fundamental para a mudança de planos, para desenvolver a maternagem (termo usado por terapeutas) e considerar a adoção. Embora maternidade e maternagem andem juntas na maior parte das situações, elas não são a mesma coisa. *Maternidade* é o processo biológico de tornar-se mãe, gerar, sentir o bebê mexer e parir, enquanto a *maternagem* está amparada no afeto desenvolvido após o profundo desejo de cuidar de uma criança. O exemplo de Astrid me fez entender que, antes de qualquer coisa, um filho precisa primeiro nascer na mente e no coração da mulher ou do homem. "Depois da adoção, eu mudei completamente. Aprendi a ser mais paciente, fiquei mais calma, mais educada, porque você tem que dar o exemplo o tempo inteiro, e a minha relação com o tempo também mudou. Eu desfruto cada minuto ao lado do Gabriel e tenho a necessidade de passar todo tempo que eu puder com ele. A vida é um sopro. Ser mãe mais velha me trouxe muita coisa boa para a criação dele. Muitas mães não adotam o próprio filho porque não podem ou não conseguem viver essa experiência. O relógio da maturidade, para mim, foi mais importante do que o relógio dos meus óvulos", conclui Astrid Fontenelle.

Paternidade

— Papaiê!

Quando o João fala assim, o coração do jornalista Érico Aires aquece e ele se derrete todo. O fato de ser solteiro e homossexual o impediu por muito tempo de realizar o sonho de ser pai. Érico esperava encontrar alguém com quem pudesse dividir o desejo da adoção e as responsabilidades da criação. Enquanto isso, foi tocando a vida, com o desejo amarrado aos pés do medo. Quando completou quarenta anos, mesmo estando feliz na área profissional e pessoal, sabia que estava faltando algo. "Senti que estava perdendo o tempo certo de usufruir as coisas no tempo certo, esperando alguém para fortalecer a minha coragem", confessa.

Resolveu tomar uma atitude e foi tirar suas dúvidas no Fórum de São Paulo, cidade onde mora. Depois de confirmar que poderia adotar uma criança, ficou, ironicamente, por nove meses na fila, o tempo médio de uma gestação, nutrindo a expectativa da paternidade a cada dia que passava, até que surgiu a oportunidade de adotar um menino, na época com dois anos e dez meses. Depois disso, foram mais sete meses para cumprir todas as etapas necessárias no processo e, finalmente, o alegre João Cleison entrou para a vida do Érico. "As prioridades mudam. Eu nunca tinha planejado muito o futuro, mas com ele o tempo mudou. Agora sou pai e mãe. Eu poderia ter adotado antes, mas tudo tem a hora certa. A maturidade muda as percepções de tudo. Quando ele deita no meu colo e sinto sua respiração, entendo que tudo está acontecendo no tempo certo. É sagrado", finaliza.

Dividindo o tempo com eles

E depois que o filho ou os filhos chegam? Antes dos meninos, a jornalista Mariana Ferrão sentia aflição ao perceber algum tempo vazio na agenda. Não podia ver quinze minutos dando sopa que já tratava de resolver alguma pendência. Utilizava cada brecha e não permitia lacunas. Desde a infância viveu uma agenda com muitas atividades e foi muito organizada. "Sempre tive a sensação de que eu controlava o tempo, que eu poderia usar a minha agenda de maneira mais produtiva. Mas, quando meu primeiro filho nasceu, pensei: não sou mais dona do meu tempo! Agora ele manda na minha agenda. Mama, dorme e come no tempo dele e não respeita o tempo que eu tinha programado para fazer as minhas coisas. Essa sensação de que eu não era mais dona do meu tempo foi, sem dúvida, um luto bem difícil de lidar no processo da maternidade. Perdi a autonomia sobre o tempo da minha vida, da minha agenda, do controle do tempo em si", confessa.

Ela tentou determinar horários para ele dormir e mamar, mas, com o tempo, percebeu que essas regras não estavam adiantando muito e acabava ficando frustrada, já que ele, assim como todos os bebês, não tinha rigor com os horários. A Mari sofreu muito até entender que realmente precisaria abrir mão do controle. "Só relaxei dois anos e meio depois, com a chegada do segundo filho. A maturidade me deu coragem para pedir ajuda e passei a delegar mais. Além disso, comecei a amamentar quando ele queria, a famosa livre demanda. Isso me deu mais liberdade para fazer outras coisas no intervalo entre uma fome e outra", revela.

Na segunda gestação ela também começou a investir mais tempo na meditação como estilo de vida e não apenas em um momento do dia. "Você percebe que a presença constante no momento em que você está provoca uma qualidade no tempo completamente diferente. Embora o segundo filho possa trazer a sensação de que você não está dando conta de dar atenção para o primeiro, para o trabalho ou para o marido, quando você consegue colocar a meditação em toda vivência, você traz qualidade para o pouco tempo que você tem disponível em cada situação. E aí, esse tempo se multiplica, o instante fica eterno. Quando estou com os meninos, eu estou com eles. Isso traz uma tranquilidade que não tem preço", explica.

Na prática, Mariana conecta ação e pensamento. Com a atenção no que está acontecendo e não nas coisas que precisam ser feitas depois, é possível perceber outros detalhes e elencar o que é prioridade, uma por uma, em cada momento. Aliás, hoje a prioridade dela mudou. Os filhos deram outra dimensão ao tempo e ela tem consciência de que em breve tudo vai mudar novamente. "Você percebe como é valioso investir nosso tempo em alguém. Que o nosso tempo dedicado com amor transforma o mundo. Hoje sinto falta de algumas coisas, sim, mas não sofro mais. Ao mesmo tempo que algumas situações parecem que nunca terão fim, como o tempo das fraldas, por exemplo, em outras o tempo voa e, num passe de mágica, os filhos devolvem o amor e a doçura em atitudes que provam que tudo valeu a pena. Ou seja, a gente precisa é dar tempo para o tempo", finaliza.

Mario Sergio Cortella, em seu livro *A sorte segue a coragem!*, explica que a paternidade ou a maternidade, seja por geração, adoção ou convívio, modifica a percepção do tempo. "A relação com o tempo se altera quando você se sente mais responsável por alguém e passa a ter medo da morte, sentimento que antes não se fazia tão presente. A morte, a partir desse momento, significará também o abandono involuntário de alguém de quem você precisa cuidar, e esse sentimento é mais forte quando, por exemplo, eclodem, de variados modos, a paternidade e a maternidade." Ele ainda explica que, se um filho preenche totalmente a agenda dos adultos e subtrai o tempo dos pais, essa criança, ao mesmo tempo, também transmite a ideia de eternidade. "Ao gerar ou cuidar de outro ser, você continua no tempo. A sua mortalidade fica diminuída."

O que aprendi com as entrevistas

1. Ter filhos ou não, adotar ou não, ser mãe ou pai é uma decisão muito particular. Não há regra para nenhuma decisão. Conheço muitas mulheres que não querem ter filhos e estão bem resolvidas. Outras convivem bem e cuidam com carinho dos filhos dos atuais parceiros ou de outras pessoas da família. O tempo trata de elucidar as cobranças e consolida a certeza do que é melhor para cada um.
2. Existe o momento certo para cada homem e para cada mulher e, mesmo com o congelamento e outras técnicas disponíveis não mencionadas aqui, quanto antes se pensar no assunto, melhor. Especialmente para que o futuro não seja marcado por algum tipo de arrependimento ou frustração. Pense e revalide seu sonho, se não quiser continuar jogando o assunto para debaixo do tapete. Se um bebê nascer no seu coração é o que importa.

> Pela humildade, atitude e amor, mãe e pai adotivos são pais em dobro.

III
Percepções

Ando devagar

porque já tive pressa

E levo esse sorriso

porque já chorei demais

Almir Sater e Renato Teixeira

1
Percepções do tempo

> *O tempo é muito lento para os que esperam*
> *Muito rápido para os que têm medo*
> *Muito longo para os que lamentam*
> *Muito curto para os que festejam*
> *Mas, para os que amam, o tempo é eterno.*
> Henry Van Dyke

O que parece demorar mais? Um minuto do lado de dentro do banheiro ou "apertado" do lado de fora, na fila? O minuto não é o mesmo? Se a hora no relógio é objetiva e visível, sua percepção dela é subjetiva, invisível. É como olhar para uma das maiores atrações do Museu do Louvre em Paris, a *Mona Lisa* (*La Gioconda*), obra de Leonardo da Vinci, por exemplo. A tela é a mesma para todos, mas o significado de cada um pode ir da admiração à indiferença.

Já reparou como a duração de um dia de folga é diferente de um dia em que estamos trabalhando? Quem vive em uma cidade pequena tem a mesma percepção do tempo de quem vive em uma metrópole? Como vou com frequência para o sítio em que minha família mora no interior do Paraná, em uma cidade com cerca de sete mil habitantes, posso afirmar que, munida de um celular e com muitas atividades, o dia por lá também pode passar muito rápido.

Agora, veja que curioso: por que será que o tempo de ida de uma viagem costuma ser mais demorado do que o da volta? A atenção dada às circunstâncias altera a percepção do tempo na estrada? O psiquiatra e professor da faculdade de medicina da USP Daniel Martins de Barros explica que, geralmente, existe uma expectativa com relação ao lugar para onde estamos nos dirigindo, e essa novidade nos coloca em alerta, observando melhor as placas, árvores e construções, ou mesmo ansiando pelo que está por vir, o que não costuma acontecer na volta, quando estamos mais relaxados e não ficamos tão ligados no entorno. "Com o cérebro registrando menos detalhes, a sensação é de que o tempo passou mais rapidamente. Esse efeito é ainda mais intenso nas frequentes ocasiões em que o caminho de ida é inédito, ou no mínimo pouco utilizado. Em situações novas ou incomuns, o cérebro tende a ficar mais atento também. Na volta o mesmo já não ocorre, ao menos não com a mesma intensidade. Como uma das formas de percebermos a passagem do tempo é pelo número de registros na memória em determinado período, intervalos cheios de registros, como a ida, parecem durar mais. Já os percursos com menor número de novos detalhes para reparar, como a volta, parecem mais curtos", complementa.

Outro exemplo curioso é o que acontece no elevador. Já parou para pensar por que tem espelho do lado de dentro e às vezes do lado de fora, próximo à porta? Uma das explicações mais difundidas diz que a ideia surgiu quando os prédios começaram a ganhar mais andares e as reclamações sobre a lentidão dos deslocamentos começaram a aumentar. Era preciso distrair, e a instalação de espelhos permitiu que as pessoas se ocupassem checando a aparência e, consequentemente, diminuindo a percepção do tempo de espera de quem está dentro e fora do elevador.

O alemão Albert Einstein já dizia: "Passe uma hora com uma linda garota e a hora parecer-lhe-á um minuto; passe um minuto em cima de um fogão e o minuto parecer-lhe-á uma hora. Assim é a lei da relatividade". No livro *O enigma do tempo*, Paul Davies explica que a palavra "relatividade" refere-se ao fato elementar de que a aparência do mundo que nos circunda depende de nosso estado de movimento: ele é "relativo". "Isso é óbvio em alguns aspectos simples mesmo do dia a dia. Se estou de pé na plataforma da estação, o trem expresso que passa em um estrépito parece estar se movendo celeremente, ao passo que, se eu estiver viajando no trem, a estação parecerá correndo. Essa relatividade óbvia e inconstante do movimento era conhecida por Galileu e foi incorporada à mecânica de Newton no século XVII. O que Einstein descobriu subsequentemente foi que, não só o movimento, mas também espaço e tempo são relativos."

A resposta é a questão

O tempo medido pelo relógio e calendário não tem a mesma medida, a mesma percepção para todas as pessoas. O dia tem 24 horas, isso não é diferente para ninguém, mas o que será feito e sentido nessas horas, sim. Entre olhar as horas ao acordar e antes de pegar no sono, você já parou para contar quantas vezes mais você olha para o relógio? Do bom-dia ao boa-noite, temos a tendência de cronometrar tudo: o tempo do café, do banho, do trânsito, do trabalho, do almoço, do jantar, da meditação, das orações, do lazer, do sexo, do sono, de uma viagem, do cinema, de uma visita à casa de alguém… Mas, mesmo assim, percebemos que nem todos os dias terão a mesma duração, embora todos tenham as mesmas 24 horas.

Muita gente que entrevistei confirmou que há dias em que o tempo passa mais rápido, enquanto em outros, passa mais devagar; que no mesmo dia há períodos que passam num piscar de olhos, enquanto outros se desenrolam a passos de tartaruga, ao mesmo tempo em que a semana pode se arrastar e o final do mês chegar rápido demais. Mesmo com doze meses entre um "Feliz Ano Novo!" e outro, algumas pessoas reclamam que o ano está voando; já outras, com menos afazeres, que o tempo está lento demais. Só uma minoria conseguiu se entender com o tempo e diz que ele está no ritmo certo. Em comum, elas são organizadas e aprenderam a dizer NÃO (mais adiante voltaremos a falar sobre este assunto).

A verdade é que o tempo não para, apenas passa. O que estou querendo dizer desde o início é que ele passa de forma diferente, dependendo do período da vida e da emoção envolvida em cada situação. A percepção do tempo varia muito e depende de inúmeros fatores. Estilos e formas de ganhar a vida, por exemplo, também determinam diferentes relações com o tempo.

Algumas teorias defendem que, quanto mais se vive, mais rápida é a sensação da velocidade do tempo. Já para uma criança, o aniversário e o Natal demoram a chegar, já que essas são as duas datas que ela tanto espera, ainda que tenha vivido muito pouco, talvez nem dez por cento do que ainda tenha pela frente. Mas, conforme as crianças vão crescendo e quanto mais coisas vão sendo inseridas em suas agendas, o tempo começa a tomar outra forma também para elas. A Gabi (cuja história vocês verão mais à frente), uma estudante de treze anos, já identificou que as aulas chatas demoram horrores para acabar, mas que nem vê o tempo passar durante as aulas que considera legais.

Assim como nem todos os adolescentes sentem o tempo de um jeito só, quem tem mais idade também vai sentir mais ou menos pressa de acordo com os projetos de vida que ainda planejam. Não dá para generalizar, mas é possível confirmar, a partir de centenas de experiências, que, se a situação passou voando, foi intensa, mas, se demorou para passar, pode ter sido desagradável de alguma maneira.

> A monotonia é lenta. A intensidade torna tudo veloz.

Se você concordar que o tempo da vida civil é medido de um modo que convém às sociedades, que temos um tempo finito, subdividido por outros inúmeros tempos com início, meio e fim dentro do tempo do Universo, que até agora é sabidamente infinito, o que dizer sobre o nosso sentido do tempo? "Se o que estamos fazendo nos interessa, o tempo parece curto, e, quanto mais atenção dedicamos ao próprio tempo, isto é, à sua duração, mais longo ele parece", explicou o pesquisador e cosmólogo britânico Gerald James Whitrow no livro O tempo na história. Ele dedicou boa parte de sua vida estudando o tempo e em 1966 se tornou o primeiro presidente da então recém-fundada Sociedade Internacional para o Estudo do Tempo (ISST), uma organização de cientistas interessados em explorar a ideia e experiência do tempo e o papel que o tempo desempenha no mundo físico, orgânico, intelectual e social.

Whitrow defende que nosso sentido de duração de tempo é afetado não apenas pelo grau em que concentramos a atenção no que estamos fazendo, mas por nosso estado físico geral. "Em particular, pode ser distorcido por drogas ou pelo confinamento, por longos períodos em ambientes frios ou escuros, sem recurso a relógios. Experimentamos uma sensação de duração sempre que relacionamos a situação presente a experiências passadas ou a expectativas e desejos futuros."

Como percebemos o tempo?

Primeiro sentimos e milésimos de segundo depois percebemos. "Tudo acontece de uma forma muita rápida e a realidade interpretada pelo cérebro é uma aproximação sensorial, necessária para que o mundo físico tenha sentido", diz o neurocirurgião Fernando Campos Gomes Pinto, no livro *Papo cabeça*.

> A percepção que temos do fato muda o fato.
> A percepção do tempo muda o tempo.

Percebemos e interpretamos cada tempo da vida por meio dos cinco canais sensoriais que permitem ao cérebro captar e compreender informações do mundo exterior: visão, audição, tato, paladar e olfato. Por etapas vamos construindo nossa realidade e a percepção do tempo. "Os órgãos sensoriais que nos ligam ao mundo são altamente seletivos naquilo que acolhem e transmitem ao cérebro. O real tem um quê de ilusório e virtual", observa Eduardo Giannetti no livro *O valor do amanhã*. Um exemplo é a luz do sol que demora cerca de oito minutos e dezoito segundos para atingir a superfície da Terra. A luminosidade que enxergamos no presente já é passado e sustentamos uma defasagem perpétua. "A realidade percebida pelos sentidos é uma fração da realidade perceptível. A sensação de instantaneidade das nossas certezas sensíveis não passa, no fundo, de uma construção dos sentidos — uma ilusão simplificadora", explica. O aqui e agora nada mais é que a fronteira construída incessantemente entre o que passou e o que virá, o intervalo para o que chamamos de passado e futuro. Então, seu ponto de vista cria sua realidade!

"O presente dos sentidos é o passado do mundo sensível."
Eduardo Giannetti

A intuição é o sexto sentido. "Do ponto de vista neural, ela é mais elaborada do que as demais sensações: agrega estímulos objetivos e percepções que ainda carecem de uma explicação permanente. Por definição, a intuição mistura dados reais captados pelos cinco sentidos com memórias de experiências vividas e os tempera com a livre influência da imaginação", explica o neurocirurgião.

> A inspiração é uma resposta da intuição.

O documentário *Innsaei — O poder da intuição* (2016) aborda como as pessoas estão desconectadas de si, do micro em detrimento do macro, e como esse distanciamento interior acaba descartando ou desconsiderando um conhecimento valioso que poderia ajudar na tomada de decisões baseadas na intuição.

Logo no início do documentário, em um dos mais reconhecidos templos do conhecimento moderno em Boston, Bill George, membro sênior da Harvard Business School, onde ensinou liderança como professor de Práticas de Gerenciamento desde 2004, diz que: "Somos mente, corpo, espírito e, quando há pressão, tendemos a só focar a parte racional e nos fechamos. Se não podemos ver dentro de nós mesmos, não podemos usar nossas maiores capacidades e jamais deixaremos nossa intuição fluir. Acho que no nível mais alto, todas as decisões são intuitivas. Se não fossem, poderíamos procurar todas as respostas no computador! Nos últimos 20 a 25 anos da minha vida, vemos o poder do pensamento racional que domina muito de nossas instituições acadêmicas, domina a mídia e afasta a capacidade de realmente avançar com as habilidades intuitivas. Mas acho que, pela primeira vez, começamos a perceber que os problemas não estão melhorando. Temos que dar um passo atrás e encará-los com uma nova abordagem. Um dos desafios que tivemos é que, indo absolutamente pelo lado racional e focando tudo próximo às medições e ferramentas analíticas, eliminamos a criatividade de nossas empresas, achamos que trabalhar mais é concluir mais trabalho, mas não é verdade. Tenho alunos em Harvard que dizem: 'Trabalho cem horas por semana', não dá para manter isso. Você se perde em números, se perde na lógica, não tem chance de se distanciar".

O fluxo da vida, a sucessão dos fatos e tudo o que nos acontece produzem um padrão mental gerado ao longo do tempo. É o cérebro que dá coesão às cenas recebidas pela percepção dos sentidos. E, se ele está cansado ou exaurido, as interpretações do que acontece conosco também ficam prejudicadas.

O tempo no ar

Um bom exemplo sobre as diferentes percepções do mesmo tempo é uma viagem de avião. Uma hora em um voo com céu de brigadeiro é bem diferente do que uma hora com o avião chacoalhando. A lazer ou a trabalho, ninguém gosta de passar por turbulências. Tampouco, ninguém gosta que o piloto arremeta a aeronave (procedimento comum quando o avião está quase chegando à pista e precisa voltar imediatamente para o céu).

Essas situações fazem parte da rotina da tripulação do avião, mas, para os passageiros — mesmo os mais acostumados — a percepção do tempo é alterada. Em todo o planeta, neste segundo, dez mil aeronaves estão cruzando o céu simultaneamente. Já no

Brasil são, em média, duzentos aviões comerciais, de acordo com o presidente da Gol, Paulo Kakinoff.

Depois que as portas do avião se fecham, não há nada que alguém possa fazer, além do piloto, para interferir no que vai acontecer durante a viagem; cada pessoa dentro dessa aeronave estará sentindo o tempo passar de forma diferente, estando as condições meteorológicas favoráveis ao voo ou não. Sabendo disso, para tentar melhorar a percepção do tempo durante os voos, a Gol fez uma pesquisa para entender o que mais, além da pontualidade e segurança, seria importante para colocar mais vida no tempo dos passageiros. "Fomos estimulados a pensar no assunto pelas pessoas que viajam a negócios, porque o voo para elas é uma ferramenta de trabalho e o tempo é mais relevante. Nunca vou esquecer o que ouvi de um cliente: o serviço ideal seria o de teletransporte! Sair do ponto A e chegar no ponto B sem sentir o trajeto e sem perceber a passagem do tempo", relembra o executivo da empresa. Para Kakinoff, quando o passageiro está viajando a lazer, a predisposição para a viagem e, por consequência, a percepção do tempo, é outra, o relógio "gira" de forma diferente. Na prática, a empresa aumentou a distância entre as poltronas já que, quanto menor o espaço, mais o tempo demora para passar; também incluíram tomadas e wi-fi para a turma que precisa produzir durante o voo. "Com a internet paga, evitamos o automatismo e nada muda para quem quer descansar durante a viagem. Já para quem precisa trabalhar, a sensação pode ser a mesma de estar no escritório. Estamos dando a opção de o cliente fazer o que lhe convier para que não perceba que o tempo está passando, ou passando de uma maneira que ele não gostaria. As pessoas só falam de tempo e estamos empenhados em dar mais vida ao tempo delas", conclui.

Todos os dias, entre decolagens e pousos, entra em cena uma orquestra humana de controladores de voo, pilotos, comissários, engenheiros e centenas de outros profissionais afinados entre si para garantir que a segurança esteja em primeiro lugar. Entretanto, as condições do tempo podem interferir no planejamento aéreo e, consequentemente, nos horários de chegadas e partidas. Os atrasos, odiados por muitos, podem acontecer. Os meteorologistas fazem a previsão a partir de modelos matemáticos que calculam centenas de variáveis como temperatura, umidade relativa do ar, pressão, vento, mas é a natureza quem manda no final das contas. De uma hora para outra, por exemplo, as nuvens de tempestades, as *cumulonimbus* — pesadelo dos pilotos —, se formam e podem chegar a até dezesseis quilômetros de altura. Dentro delas, além de chuva, granizo e raios, o vento pode atingir altas velocidades. Foi com uma dessas que o piloto comercial Franklin Laskeviz viveu uma experiência angustiante antes de um pouso em Guarulhos. "Uma tesoura de vento (forte rajada) empurrava o avião para baixo e eu tive que interromper a aproximação, utilizando a potência máxima, para arremeter. A turbulência era tanta, o avião pulava de um jeito, que eu não conseguia enxergar nada do lado de fora nem o que estava escrito no painel. Não sei quantos segundos durou, mas foi um momento extremamente estressante e ganhei umas pinceladas de cabelos brancos depois de conseguir pousar em segurança. Não importa o tamanho do avião, a intensidade dos ventos faz a gente ficar igual a uma folhinha seca no ar", admite o experiente piloto que acumula mais de 23 mil horas de voo em quarenta anos de profissão.

Outro exemplo é o que acontece no jornalismo ao vivo de rádio e TV. Convivo com comunicadores desde 1997. Independentemente de onde a notícia seja transmitida, o tempo é o ar que respiramos; é o caminho para o desenvolvimento do nosso raciocínio. Na reportagem ou na apresentação, para participações ao vivo ou não, a pergunta é sempre a mesma: quanto tempo eu tenho? Esse tempo é valioso e decisivo para desenhar mentalmente o começo, o meio e o fim do que será dito. Preencher um minuto quando se tem o que falar é fácil; quando não, parece uma eternidade.

2
Chronos e Kairós

> *Chronos é horizontal. Kairós é vertical.*
> Frei Betto

Rafael estava sentado bem na frente do avião, na terceira fileira, mas pediram que ele cedesse a poltrona para outro passageiro. Não reclamou e foi para o meio da aeronave, na altura da asa; porém, depois de umas três horas, começou a sentir calor e foi para o fundo. Ficou de pé, conversando com alguns colegas e, quando estava se sentando na penúltima fila, na poltrona do corredor (ideal para quem tem um metro e noventa de altura esticar um pouco as pernas), um jogador pediu o lugar, já que Messi, o craque argentino, teria viajado bem ali em outro voo. Mesmo não gostando de ficar no meio de duas poltronas, entre a da janela e a do corredor, ele finalmente se acomodou. Todos a bordo estavam muito alegres com o avanço do time catarinense na final da Copa Sul-Americana e, depois de muita conversa e algumas horas de voo, de repente os motores do avião pararam. "As luzes se apagaram e as de emergência se acenderam. Colocamos o cinto e comecei a perceber o silêncio das turbinas, a ouvir o barulho do vento batendo na aeronave, como se fosse um *shhh*. Muitos estavam dormindo, não houve desespero, ninguém se levantou nem saiu correndo pelo corredor. Até parecia um procedimento de descida, porque já estávamos próximos do aeroporto. Mas, quando olhei para a esquerda e vi a Ximena (integrante da tripulação) bem aflita, aí pensei que alguma coisa estava errada. O avião foi planando, não houve turbulência, as máscaras de oxigênio não caíram e eu só olhava para a frente, tentando entender o que estava acontecendo. Em nenhum momento me passou pela cabeça que o avião cairia. Pensava que o piloto retomaria o motor até eu me lembrar de dizer uma última frase: 'Renan, acho que o pior já passou'. Dois minutos depois de os motores desligarem, o avião chocou-se com a montanha", relembrou, emocionado, o jornalista Rafael Henzel, um dos seis sobreviventes do acidente aéreo com o avião da Lamia, voo 2993, que transportava a equipe da Chapecoense, jornalistas e convidados para Medelín, na Colômbia.

Relembrando aquela madrugada de 2016, quando as primeiras notícias se multiplicavam pela internet, meu chefe na época disse: "Izabella, teremos que encurtar a previsão do tempo porque parece que um avião com um time brasileiro caiu". Uma situação como essa sempre mexe com as emoções de todos em uma redação de jornalismo e, na maioria das vezes, as informações só são confirmadas horas depois da ocorrência do acidente. Um tempo de muita angústia para quem procura respostas, colegas de trabalho, pessoas da família, a mãe ou o pai. Quando o filho do Rafael, então com doze anos, acordou com o desespero da família, dizia a todos para não chorarem, porque sentia o coração do pai bater em seu peito. No final da madrugada, ouviu o nome do pai na lista dos sobreviventes e saiu correndo, gritando pela casa: "Eu sabia, eu sabia! Eu sentia que meu pai estava vivo!".

As imagens de satélite da noite anterior ao acidente mostravam nuvens de temporais sobre o local da tragédia. De fato, depois foi confirmado que a chuva foi persistente e, a três mil metros de altitude, a temperatura deveria estar muito baixa. "A primeira vez em que acordei, no meio do mato, naquela escuridão total, conseguia enxergar uma luz de longe, daqueles equipamentos de aeroportos. Pensei: 'O que é isso? Alguém vai me encontrar!' e apaguei. Depois eu acordei de novo e ouvi os gritos da Ximena, que estava mais abaixo no barranco. Eu, mais os dois colegas que estavam sentados comigo na mesma fileira, fomos arremessados a uma velocidade de 243 km/h e ficamos a cinquenta metros de distância da colisão. Estávamos presos no banco triplo entre as árvores, pelo cinto de segurança, com o corpo pendendo para baixo, em uma inclinação de setenta graus. Entre idas e vindas, fiquei desacordado umas cinco horas, segundo me disseram. Até que acordei de novo e ouvi alguém perguntando: 'Mais alguém? Mais alguém?'. Eu estava com os dois pulmões perfurados e com a respiração curtinha, mas, ainda assim, conseguia falar indicando minha posição: 'Mais acima! Acima!' Como estava escuro, indicava: 'À direita, à esquerda!' Era um lugar íngreme e, para chegar lá, os socorristas foram abrindo uma picada no meio da mata; eles estavam extremamente exaustos depois de horas de trabalho debaixo de chuva, em um lugar de difícil acesso, e fizeram uma corrente para me tirar dos galhos das árvores. Eu sentia as minhas costelas quebradas, fazia 0°C, e estava com hipotermia. Os socorristas diziam: 'Não dorme, Rafa, não dorme.'".

Dos primeiros sete dias em que ficou internado na UTI (foram 22 dias entre os hospitais da Colômbia e do Brasil), ele se lembra de quando apagavam as luzes e via, com os olhos fechados, as árvores destruídas, como se a primeira imagem captada no morro estivesse permanentemente gravada em sua retina. "Eu não comia, não dormia, passei uma fase muito difícil na UTI, mas jamais pensei que morreria. Mudei de lugar quatro vezes no avião; antes de o motor parar, a viagem transcorria dentro da normalidade. Não há explicação lógica para apenas seis pessoas terem sobrevivido a um desastre aéreo e outras 71 pessoas não. Não sou nem melhor nem pior que aqueles que se foram. Minha primeira missão depois de ter me recuperado foi confortar as pessoas que perderam seus familiares."

Quase um ano depois do acidente, quando nos encontramos em São Paulo para essa entrevista, uma cicatriz ainda avermelhada ia de cima da sobrancelha direita até a pele da parte debaixo do olho. Depois de uns trinta minutos de conversa, ele começou a relembrar que, ainda no hospital, havia determinado o recomeço da própria história; seus olhos azuis já estavam tomados pelas lágrimas, assim como os meus. "Eu prometi que voltaria a trabalhar quarenta dias depois do acidente e, no dia 9 de janeiro de 2017, lá estava eu de volta à emissora. Não fiquei com raiva do piloto nem de ninguém. Jamais pensei em ficar parado em casa, esperando uma indenização, só porque fui vítima de um acidente aéreo." E assim, às sete horas da manhã, o locutor voltou a falar com quatro milhões de ouvintes do programa de rádio *Som e Café News*, transmitido no sul do país. Na época da entrevista, ele afirmava ter duas datas de nascimento: 25/08/1973 e 29/11/2016. Rafael chegou a compartilhar em seu livro *Viva como se estivesse de partida* o que mudou em sua vida após essa segunda chance, além da importância da solidariedade que recebeu de todos que o ajudaram.

"Eu nasci em São Leopoldo, no Rio Grande do Sul, e renasci em La Unión, no morro em que fui encontrado, na Colômbia. Fui socorrido e transportado por pessoas humildes. Sempre admirei a dor que as pessoas sentem pelo outro, pela importância que dão para o próximo. Fiquei admirado com o carinho com que essas pessoas nos trataram. Voltei à Colômbia, reencontrei todos que me ajudaram, foi emocionante. Voltei a jogar futebol, a viajar de avião, voltei para a Arena Condá. Fui à luta. Jamais busquei coisas do passado que pudessem me machucar psicologicamente. Tenho certeza de que a grande maioria daqueles que estavam dentro do avião fariam a mesma coisa", recordou. Com muito otimismo, ele defendia que não é preciso vencer a morte para começar de novo e que o tempo está a nosso favor. Só vai depender dos nossos comportamentos e atitudes. "Enquanto estava no hospital, eu focava muito a solução e não os problemas. Minha vida não poderia parar por um contratempo. Tem muita gente que se entrega porque perde um emprego, termina uma relação, sofre um acidente de moto, de carro. Claro que cada pessoa reage de uma maneira aos desafios, mas é preciso empurrar a vida para frente, independentemente do que aconteça. Estava tudo tão certo para a viagem no dia 28 de novembro com retorno para o dia 1º de dezembro... Hoje eu passei a aproveitar mais o meu tempo e insisto: invista o seu tempo na solução, não nos problemas. Não pegue os problemas dos outros. Oxigene o seu cérebro: você, com a cabeça tranquila, fica bem no trabalho, em casa, uma coisa vai puxando a outra. Viva o seu tempo com o que lhe dá prazer, com as coisas que lhe fazem bem, com responsabilidade."

Algumas pessoas dizem que os sobreviventes do acidente são um milagre. Rafael dizia apenas que não havia chegado sua hora quando me concedeu a entrevista em 9 de novembro de 2017 em São Paulo, quase um ano depois da tragédia. Mas no dia 26 de março de 2019, aos 45 anos, foi vítima de um infarto fulminante em Chapecó. Como milhares de brasileiros que acompanharam os desdobramentos do acidente, fiquei muito impactada com a notícia, mas não mais que a família e aqueles que conviveram parte de suas vidas com ele. Registro aqui meus sentimentos.

> "Quando chega a hora, pode ser a qualquer hora."
> Fernanda Montenegro

Tempo indeterminado

Na Bíblia está escrito em *Eclesiastes*, capítulo 3, que há um momento na vida de cada um para que a graça divina se manifeste:

Há tempo para tudo,
Para tudo há uma ocasião certa;
Há um tempo certo para cada propósito debaixo do céu:
Tempo de nascer e tempo de morrer,
tempo de plantar e tempo de arrancar o que se plantou,
tempo de matar e tempo de curar,
tempo de derrubar e tempo de construir,
tempo de chorar e tempo de rir,
tempo de prantear e tempo de dançar,
tempo de espalhar pedras e tempo de ajuntá-las,
tempo de abraçar e tempo de se conter,
tempo de procurar e tempo de desistir,
tempo de guardar e tempo de jogar fora,
tempo de rasgar e tempo de costurar,
tempo de calar e tempo de falar,
tempo de amar e tempo de odiar,
tempo de lutar e tempo de viver em paz.

Esse momento divino ou oportuno é chamado *kairós*, palavra de origem grega que é usada em teologia para descrever o tempo de Deus, o tempo certo. Padre Marcelo Rossi explica em seu livro *Kairós* que este não é um tempo quantitativo, medido nos relógios como *chronos*, o tempo cronológico e sequencial, marcado pelo sol, pela lua e pela mudança das estações do ano. "*Kairós* é uma ocasião indeterminada no tempo em que algo especial acontece. O homem moderno emprega apenas uma palavra para dar significado ao tempo, mas os gregos da Antiguidade usavam duas: *khronos*, o tempo dos homens e *kairós*, o tempo de Deus. Na Bíblia existem grandes personagens que souberam esperar pela graça de Deus apesar das duras provações que tiveram que suportar."

Você já ouviu falar em "tempo das vacas magras"? A expressão nasceu da passagem de José do Egito. Antes de se tornar o segundo homem mais poderoso do país, ele foi vendido por seus irmãos, passou pela cadeia e outras provações até salvar milhares de pessoas da escassez de alimentos que durou sete anos. "Você pode ser um José de nosso tempo. Em meio a tantas coisas erradas que acontecem nesse mundo, escolha a vida e a honestidade. Permaneça firme em Deus e todas as coisas vão prosperar. Você alcançará o seu *kairós*", escreveu o padre.

Tempos mitológicos

Segundo a mitologia, os primeiros governantes do Universo foram os Titãs, os filhos e demais descendentes de Urano e Gaia. Eles tinham tamanho e força colossais, mas não reinavam em harmonia. A principal desavença começou quando Cronos (ou Khronos), o mais jovem e habilidoso da primeira geração de deuses, descrito como dono "de pensamentos velhacos", com a ajuda da mãe, enfrentou e castrou Urano, seu pai, tornando-se rei dos deuses. Cronos temia que sua prole, fruto de seu casamento com Rea ou Reia (sua irmã), fizesse o mesmo, e decidiu engolir seus filhos assim que nasciam.

Alguns livros mencionam uma profecia que anunciou que um de seus filhos o mataria. Para salvar a sexta criança, Rea enganou o marido, o fez engolir uma pedra vestida de bebê e escondeu a criança (Zeus) em uma caverna, em Creta, na Grécia. A partir desse acontecimento, trava-se uma luta entre o fluir do tempo (vida) e sua interrupção (morte). Zeus, já adulto, com a ajuda da mãe, fez o pai beber um líquido que provocava vômito, e, assim, libertou os irmãos do estômago de Cronos.

Zeus se tornou o mais poderoso dos deuses gregos, teve muitas esposas, amantes e filhos. Com Tique, a deusa da sorte e da fortuna, teve Kairós, descrito como um belo jovem com apenas um tufo de cabelo na testa. Foi representado por inúmeros artistas com asas nos ombros e calcanhares. Destemido, o deus da oportunidade era muito ágil e só era possível detê-lo agarrando-o pelos cabelos, encarando-o de frente. Desatentos não o percebiam.

A história dos mitos universais está profundamente ligada a temas como geografia, astronomia, história bíblica, sacrifícios e formação de sociedades. Sigmund Freud, o pai da psicanálise, afirmava que os mitos fazem parte do inconsciente humano, são histórias compartilhadas universalmente que refletem conflitos psicológicos com raízes profundas. O psicanalista Carl Gustav Jung, discípulo de Freud, afirmou que os mitos estão radicados no que denominou de "inconsciente coletivo", uma experiência humana comum compartilhada e tão antiga quanto a própria humanidade. Ele acreditava que esse inconsciente coletivo se organizava em padrões e símbolos básicos — os quais chamava de arquétipos. Fernando Pessoa, o grande poeta português, ao referir-se ao mito como o "nada que é tudo", conjuga ao menos dois sentidos da palavra mito, ambas de sentido forte e contraditório: o de nada e de tudo. No mito estão presentes o aspecto da criação humana (como ficção, narrativa e inverdade, portanto, o nada) e de produção sagrada de significação para as coisas do mundo (portanto, tudo).

A partir de inúmeras interpretações ao longo do tempo, *Crono*, *Cronos* ou *Chronos* é o tempo personificado. Devora ao mesmo tempo em que gera. Simboliza a pressão das horas comandadas pelo relógio, limitador para a quantidade de atividades realizadas durante o dia. Já as oportunidades se escondem justamente no tique-taque do relógio. De certo, no passado, essa reflexão deve ter inspirado aquela expressão tão conhecida "hora certa, lugar certo".

> *Chronos* para conviver. *Kairós* para sentir.

Tempo da gratuidade e da necessidade

Se tivéssemos como desenhar os dois tempos, *chronos* seria horizontal, enquanto *kairós*, vertical. Para Frei Betto, a vida se resume em dois tempos: o da gratuidade e o da necessidade.

"O tempo da gratuidade, *kairós*, é quando você está com amigos, quando você está no teatro ou na praia, por exemplo, é o tempo destinado ao lazer. Já o tempo da necessidade, *chronos*, é quando você está trabalhando para pagar suas contas, quando você tem uma reunião, protocolos. É preciso equilibrar cada vez mais essas duas dimensões, de tal forma que o tempo da necessidade não ocupe todo o seu tempo, que haja tempo para o tempo da gratuidade e que, nesse tempo, você tenha respostas para a seguinte pergunta: o que me deixa feliz? Aristóteles dizia que, para uma pessoa ser feliz, a primeira condição é ter amizades. Eu concordo plenamente. A amizade é o lugar da gratuidade, já que, quando encontramos um amigo, é para estar junto. Não há cobrança, inveja ou competitividade. *Kairós* significa a manifestação gratuita de Deus", diz Frei Betto.

Na visão dele, nós estamos passando mais rápido pelo tempo e a prova mais emblemática dessa escravidão voluntária é a algema que carregamos no pulso. Para conviver em sociedade, trabalhar, frequentar as aulas, por exemplo, não estamos livres de *chronos*. Nossa rotina é marcada por prazos, compromissos, horas, calendários etc., que quantificam nossa existência; já *kairós* qualifica e valoriza o tempo que vivemos. É um momento que muda o sentido interior das atividades diárias, um detalhe que transforma.

> O desafio é ter sensibilidade e atenção para identificar o *kairós* dentro do nosso *chronos*, uma vez que ele simplesmente acontece, sem hora marcada, naquelas situações que se tornam especiais, mesmo breves. *Kairós* simboliza o melhor instante; distraído, ninguém se dá conta de uma boa oportunidade para ser feliz.

Um instante que muda tudo

Geralmente, os cariocas dão dois beijos no rosto, um em cada bochecha, quando cumprimentam alguém. Os mineiros dão três, já os paulistas, os mais econômicos, apenas um. Cada estado ou região do país tem seus próprios costumes. A história da Cris e do Pedro, nomes fictícios de um casal que se conheceu no ambiente de trabalho em São Paulo, começou entre um desses beijos, em 2012. Ela, uma jornalista mineira, ele, um médico paulista. Ela passou a admirá-lo pela experiência profissional e, só depois de um ano de amizade, após uma leve indireta dela, foram ao cinema. Assistiram ao *As canções*, de Eduardo Coutinho (documentário em que pessoas contam histórias a partir de músicas que marcaram suas vidas). O filme suscitou, durante o jantar, emoções do passado que foram saboreadas sem pressa e com atenção. Cada um ficou sabendo de situações marcantes da vida do outro. Quando a noite já parecia ter acabado, enquanto esperavam pelos manobristas com seus carros do lado de fora do restaurante, Cris, encantada, pensava em como não deixar escapar aquele momento maravilhoso que tinham acabado de vivenciar.

"Sentia, naquele tempo de espera, o último da noite, um misto de gratidão e desespero. Estava grata por tudo o que tinha acabado de acontecer; pensava que aquele momento poderia acabar ali e ficar só no passado ou, então, que eu poderia abrir a porta de uma nova experiência. Como boa mineira que sou, quando fui dar os três beijinhos, dei um, dei outro e, quando fui dar o terceiro, parei no meio e beijei os lábios de Pedro. Para minha alegria, ele retribuiu e se abriu para mim", recorda.

Antes desse beijo roubado que mudou tudo em suas vidas, ambos viviam dentro de algumas questões sociais que provocavam muitos julgamentos; por esses motivos, já não tinham mais esperança em viver uma vida feliz a dois. Ela estava separada do primeiro e único marido, que também fora seu único namorado, tinha duas filhas e muitas preocupações. Ele era viúvo e 21 anos mais velho que ela.

"Éramos dois adultos solteiros, desimpedidos social e emocionalmente, mas que viviam impedidos por abismos que fomos criando dentro de nossas cabeças, das complexidades da vida. Me senti muito feliz por ter seguido meu coração. Fui ousada e bastante corajosa, admito. Mas percebi que a vida tem vários 'micromomentos' em que você pode criar elos ou definitivamente romper conexões. Penso que esses momentos dependem tanto de você quanto do outro, e é preciso perceber essas situações como se estivessem em câmera lenta — um segundo pode valer muito. No meu caso está valendo mais de seis anos", confessa a feliz esposa de Pedro.

Para o teólogo Leonardo Boff, esse tempo é *kairós*. "O tempo denso, especial, de um encontro com a pessoa amada ou de um encontro com Deus." Você já ouviu dizer que a vida é a arte do encontro, não é? Encontros que envolvem pessoas afins para um estudo ou pesquisa que vão beneficiar a sociedade, que se tornam amigos ou de corações que seguem para o mesmo destino. Encontros com um trabalho que faça sentido aos nossos valores e nos valorize, com um destino de viagem que estávamos procurando. Tudo isso é encontro e marca o calendário. A sensação de encontrar uma pessoa afinada aos nossos propósitos existenciais é tão valiosa quanto encontrar a própria missão de vida. Encontrar as personagens e fontes para este livro, por exemplo, foi um processo emocionante: a cada nova ideia em sintonia para provocar uma reflexão sobre o tempo, mais a sensação de estar no caminho certo preenchia meu coração e mais pessoas incríveis se conectavam a mim.

O neurocirurgião e físico Ricardo Leme explica que a preciosidade dos encontros é a possibilidade da ocorrência do que alguns chamam de milagre. "Por isso precisamos estar temporalmente preparados para um encontro. Você precisa estar presente com todo o ser que você representa; caso contrário, quando acontecer um encontro especial, você se esquecerá de trazer à tona o personagem principal, você, porque ele ficou preso lá no tempo passado e não floresceu. O principal prejudicado não será a pessoa que está escutando, mas você mesmo", defende.

> Vivenciamos o mesmo tempo do Universo, mas cada um de nós à maneira de seu universo particular.

Como se sente a mãe de um bebê prematuro?

Entre realizar o sonho de ser mãe e o momento em que se sentiu mãe, a jornalista Ana Vallada viveu o tempo do medo, da paciência e do amadurecimento, o tempo da espera. Ela planejou a maternidade, mas só conseguiu engravidar um ano depois de ter parado de tomar a pílula anticoncepcional. "Para uma pessoa responsável e produtiva como eu, foram doze meses de ansiedade e frustração, até que relaxei, parei de olhar o calendário e aí, sim, engravidei da Gabriela", explica. Tudo seguia bem até a 28ª semana quando, depois de sentir fortes dores na barriga, foi parar no pronto-socorro e ouviu do médico que a bebê estava em sofrimento fetal (quando o coração está em um ritmo mais lento do que o normal). Uma hora e meia depois, Gabriela nasceu. "Hoje sei que minha placenta tinha parado de passar o que ela precisava receber. A Gabi nasceu muito cedo, com nota 3 no teste de Apgar (escala de 0 a 10 que avalia as condições do recém-nascido como frequência cardíaca, respiração...), o que é muito baixo e ruim. Os órgãos ainda não estavam completamente formados e, com o coração fraquinho e sem o pulmão maduro, ela precisou ser entubada logo que nasceu", relembra, emocionada.

Ana recebeu alta e teve que ir para a casa quatro dias após o parto. Já a Gabi, que pesava apenas 970 gramas, ficou na unidade de terapia intensiva por 92 dias. "Durante esse período, voltei para o hospital duas vezes por dia, todos os dias. Ficava lá o máximo de tempo que era permitido. Entre uma visita e outra, vivia em uma ansiedade e angústia que faziam o tempo se arrastar", confessa.

A Gabi passou por três cirurgias e fez cinco transfusões de sangue até conseguir ganhar peso e não precisar mais da fonte de oxigênio. Num belo dia, sem criar expectativas na véspera, o médico disse que a bebê poderia ir para casa. Feliz e com a filha nos braços, Ana pôde, enfim, entrar com ela no quartinho que, até então, só havia presenciado sua angústia e tristeza.

"Eu me senti mãe quando comecei a cuidar dela. Fiquei preocupada com a extensão dos danos futuros, claro, mas fui aprendendo a ter paciência ao vê-la se desenvolver sem pressa. Essa experiência toda me deixou mais resignada. Sempre fui uma pessoa que organiza e planeja tudo, mas, de repente, meu cálculo e minha urgência não valiam de nada e não serviam para minha filha ter alta quando eu queria que ela tivesse." Hoje a Gabi é uma adolescente linda, inteligente e é amigona da Ana. Ensina a mãe, todos os dias, que cada uma tem o próprio tempo. "Ela começou a me ensinar isso no primeiro instante de sua vida, que ia ser do jeito dela de fazer as coisas, ia ser na hora dela e não na minha. Ser mãe de bebê prematuro é aprender a respeitar o tempo das coisas que estão totalmente fora do nosso controle, ou, pelo menos, reconhecer que ele existe", confessa.

Questões nem tão atuais assim

"É necessário compreender para crer e crer para compreender", disse Agostinho de Hipona, o Santo Agostinho (354-430). Antes de se dedicar à religião, viveu uma vida de muitos prazeres e converteu-se ao cristianismo aos 32 anos. Carregava dentro de si uma síntese entre filosofia e teologia. Propôs reflexões importantes para a época e que são admiráveis até hoje. Em *Confissões*, entre outras preocupações filosóficas existenciais, ele registrou, com grande dedicação, suas dúvidas em torno das medidas e significados do tempo.

"Que é, pois, o tempo? Se ninguém me pergunta, eu sei; mas se quiser explicar a quem indaga, já não sei. Contudo, afirmo com certeza e sei que, se nada passasse, não haveria tempo passado; que, se não houvesse os acontecimentos, não haveria tempo futuro; e que, se nada existisse agora, não haveria tempo presente. Como então podem existir esses dois tempos, o passado e o futuro, se o passado já não existe e se o futuro ainda não chegou? Quanto ao presente, se continuasse sempre presente e não passasse ao pretérito, não seria tempo, mas eternidade."

Ainda no capítulo XVI do *Livro XI*, ele reflete sobre a hora, composta por instantes fugidios que formam o tempo presente, e que a medida do agora é percebida pelos indivíduos a partir dos intervalos de tempo, que uns dizem mais longos e outros mais breves. "Mas é o tempo que passa que medimos quando o percebemos passar. Quanto ao passado, que não existe mais, e o futuro que não existe ainda, quem poderá medi-los, a menos que ouse afirmar que o nada pode ser medido? Assim, quando o tempo passa, pode ser percebido e medido. Porém, quando já decorreu, ninguém o pode medir ou sentir, porque já não existe."

"Se o futuro e o passado existem, quero saber onde estão."
Santo Agostinho

Ele defende que é impróprio dizer que há três tempos (passado, presente e futuro), e que o mais correto seria dizer o presente do passado, o presente do presente e o presente do futuro, já que é a linguagem que articula o tempo. "Quando relatamos acontecimentos verídicos do passado, o que vem à nossa memória não são os fatos em si, que já deixaram de existir, mas as palavras que exprimem as imagens dos fatos, que, por intermédio de nossos sentidos, gravaram em nosso espírito suas pegadas. Minha infância, por exemplo, que não existe mais, pertence a um passado que também desapareceu; mas, quando eu a evoco e passo a relatá-la, vejo suas imagens no presente, imagens estas que ainda estão em minha memória. E a predição do futuro, meu Deus, seguiria um processo análogo? Os fatos que ainda não existem serão representados antecipadamente em nosso espírito como imagens já existentes? O que sei é que habitualmente premeditamos nossas ações futuras, e que essa premeditação pertence ao presente."

O presente do passado é a memória; o presente do presente é a percepção direta; o presente do futuro é a esperança. Quando empreendermos e começarmos a realizar a ação premeditada, então esta começará a existir, pois então não será mais futura, mas presente. O tempo, como afirma Santo Agostinho, existe em nossa mente. E o que é a mente? Como ela pode se relacionar com coisas diferentes da própria?

Como diziam algumas avós: "O pão feito não pode ser desfeito". O cérebro humano age como uma enorme esponja mental, capturando eventos em um banco de memória aparentemente inesgotável. Por definição, a memória nada mais é do que a capacidade de um organismo codificar, armazenar e, mais tarde, recuperar. O cérebro, de uma maneira quase instantânea, é capaz de capturar a imagem de um evento ou experiência gravando-a ou codificando-a, criando, dessa forma, um registro permanente. Esse registro é numerado e referenciado (como um cartão de biblioteca) para que possa ser acessado, ou suprimido, dependendo de seu significado, interpretação e importância. E como qualquer biblioteca, precisa de limpeza e organização diária.

3
Tempo da alegria × tempo da tristeza

És precária e veloz, Felicidade.
Custas a vir e, quando vens, não te demoras.
Foste tu que ensinaste aos homens que havia tempo,
e, para te medir, se inventaram as horas.

Felicidade, és coisa estranha e dolorosa:
Fizeste para sempre a vida ficar triste:
Porque um dia se vê que as horas todas passam,
e um tempo despovoado e profundo, persiste.
Cecília Meireles, em Epigrama n. 2

No filme *Os homens são de Marte... e é pra lá que eu vou*, a atriz Mônica Martelli conta, baseada em fatos da própria vida, a gangorra emocional de uma mulher solteira em busca de um parceiro para formar uma família. É pela comédia que ela provoca reflexões interessantes sobre o tempo dos sentimentos que acompanham os relacionamentos. Fernanda, a personagem do filme, sofre horrores a cada término, até porque sua intenção era de encontrar o amor de sua vida e, consequentemente, ser mãe.

Quem nunca sentiu que estava na hora certa, no lugar certo, que encontrou a pessoa certa, mas que o tempo, curto ou nem tanto, mostrou que não era nada daquilo? As pessoas vão e os aprendizados ficam, mas, como costumo dizer: "A gente só conhece conhecendo", e o tempo é essencial para identificarmos quem é quem de verdade. "Todas as vezes em que estou vivendo um momento de dor sinto que ele não vai passar nunca. Acho que a dor demora demais. Na época em que eu fiquei solteira, tinha 35 anos e queria ser mãe. Eu também estava lutando contra o meu relógio biológico. Foram dois anos e meio sozinha, mas a sensação era de que foram dez anos sofrendo, de tão profundo que foi aquele sentimento. Já o estado de alegria, ele também te acompanha em outros momentos da vida, mas a sensação que tenho é que esbarramos com problemas o tempo todo. Somos complexos, questionamos tudo o tempo inteiro e a sensação que dá é que o estado de alegria dura menos", revela a atriz.

O tempo de cada sentimento, com raízes na tristeza ou na alegria, varia de acordo com o que foi vivido e o significado que foi dado por cada pessoa. Esse tempo é sagrado, *kairós*, como já vimos, e está desconectado do relógio, *chronos*, como explica o psicólogo Fernando Stanziani. Ele vê a passagem do tempo como um processo afetivo, em como geramos as memórias, contamos e recontamos nossas histórias de vida. "O maior problema é a noção que estamos gastando tempo, vivendo um tempo bom ou um tempo ruim. Essa noção é vivida no compartilhamento com as pessoas. Então, quando você está em uma boa conversa com um amigo, você nem sente o tempo passar... Esse tempo é uma coisa gostosa, já que você está em sintonia com algo muito mais profundo, que é o tempo do afeto eterno, totalmente desconectado do tempo que contabilizamos no relógio. Diferentemente do tempo mecânico, o tempo sagrado é aquele que faz com que você sinta a sua existência, transcenda aquelas dores e sofrimentos que alimentam a ideia de que você vai morrer e de finitude, porque esse tempo é o tempo eterno", explica. Se quem é feliz não repara nas horas que passam, então, sejamos felizes. "Quando você faz algo que transforma a sua realidade, quando encontra alguém que ama, por exemplo, não importa a quantidade de tempo, isso lhe afeta de forma positiva e a sua percepção da duração do tempo é diferente. A alegria é um presente dos deuses", explica o psicólogo. O educador e escritor Rubem Alves menciona no livro *Tempus Fugit* que o poeta e ganhador do Nobel de Literatura de 1948, T. S. Eliot, só encontrou o seu amor aos 68 anos e, aos setenta, dizia que, antes do casamento, estava ficando velho, mas agora se sentia mais jovem do que quando tinha sessenta. "O amor tem esse poder mágico de fazer o tempo correr ao contrário. O que envelhece não é o tempo. É a rotina, o enfado, a incapacidade de se comover ante o sorriso de uma mulher ou de um homem", escreve.

"Há que se distinguir felicidade, alegria e prazer", provoca Frei Betto no livro *Felicidade foi-se embora?*, no qual defende que os prazeres são momentâneos. "Quem os confunde com felicidade fica sempre em busca de novas sensações no intuito de se sentir feliz. A alegria também é momentânea. Sentimos alegria ao rever a pessoa amada, ao receber uma homenagem. No entanto, ninguém sente prazer ou alegria acometido por uma doença, diante de uma catástrofe natural ou sofrendo perseguição. Porém, ainda assim, pode se sentir feliz. Eis a diferença. Mesmo sob a dor e o sofrimento, uma pessoa pode ser feliz, desde que saiba integrar as adversidades no sentido que imprimiu à sua existência." O professor e filósofo Mario Sergio Cortella complementa no mesmo livro que a ideia permanente de felicidade é uma impossibilidade, à medida que uma boa parte dos nossos sentimentos positivos é vivenciada pela ausência. "Tivéssemos nós a felicidade como um estado contínuo, não a perceberíamos."

O valor que damos às coisas e às pessoas depende diretamente do tempo investido nelas. É como a famosa frase do francês Antoine de Saint-Exupéry, o autor de O *pequeno príncipe*: "Foi o tempo que você passou com sua rosa que a tornou tão importante". O tempo gasto com um desafeto segue o mesmo raciocínio, e pode durar a vida toda se as mesmas lembranças ruins forem repetidas. As neuroses cristalizam. "Às vezes, nós valorizamos os sentimentos negativos, e assim convivemos com mágoas durante anos, por escolha própria, enquanto continuamos com as mesmas histórias. Mas a boa notícia é que é possível alterar o interior das narrativas para valorizar algo que ficou de bom, que é a própria natureza do afeto. Já tratei pacientes que tiveram reveses na vida, que foram contaminados por HIV ou que passaram por separações horrorosas e, tempos depois, souberam lidar com um tempo desprendido para poder aprender e desenvolver resiliência. Hoje, essas pessoas me dizem que o tempo 'teoricamente ruim ou perdido' trouxe benefícios. Nestes casos, podemos usar a famosa frase: 'Tem males que vêm para o bem'. É aí que eu digo que perder tempo é relativo. Você teve que cruzar um caminho para aprender", ensina o psicólogo.

Tempo do luto

O luto é um processo natural frente ao rompimento de qualquer vínculo. De acordo com a psicóloga Mariana Clark, "é o fenômeno mais desorganizador da vida de alguém". Além da morte, ela defende que muitos lutos ainda precisam ser reconhecidos pela sociedade, como a infertilidade, o divórcio, a aposentadoria, uma demissão, a amputação de um membro do corpo e a síndrome do ninho vazio.

Quando perdemos alguém ou algo que em algum momento atribuímos um significado, as memórias serão repassadas com muita frequência até não causarem mais dor. "Só aprendemos a lidar com as nossas perdas após alcançarmos um aprendizado interior. As pessoas conseguem superar a tristeza, a depressão que decorre de uma situação desagradável da vida, quando conseguem recontar a história de modo resiliente. Aliás, todos têm o direito de passar pelas elaborações do luto; ele é um processo necessário para o fortalecimento do indivíduo", explica Stanziani.

As lembranças podem continuar, mas não têm o poder de aprisionar ninguém no passado. Algumas pesquisas apontam que três anos é o tempo médio para uma pessoa superar a morte de alguém bem próximo e ressignificar a tristeza sentida, além dos ciclos do primeiro Natal, primeiro aniversário e outras datas importantes sem o ente querido. Entretanto, os números e o tempo médio de uma estatística são totalmente impessoais.

"Em uma visão estatística, a ciência tem o que dizer sobre os seres humanos, já que somos biologicamente semelhantes; no entanto, a ciência não pode expressar o tempo de elaboração de cada um. A ressignificação afeta a noção da passagem do tempo, como o luto é vivido por cada pessoa etc. Essa ideia de que as pessoas têm de estar constantemente em ação e que qualquer parada para refletir significa perda de tempo é uma marca da nossa época. Isso está errado. Uma hora ou outra você terá que descobrir dentro de você como as emoções lhe afetam. Viver é permanecer em constante aprendizado", conclui o psicólogo.

4
O tempo no esporte

> *O tempo é a fronteira entre o sucesso e o fracasso no esporte.*
> Fábio Piperno

O que você consegue fazer em alguns segundos? Na vida de quem pratica esportes, até a fração de segundo envolvida num piscar de olhos pode conduzir ao topo do pódio ou ao anonimato. Vale ouro, prata ou bronze. Um atleta profissional, por exemplo, dependendo da modalidade, treina durante anos para representar seu país em jogos com repercussão mundial e, mesmo depois de passar por uma série de provas classificatórias, o tempo, um dos principais indicadores de sua performance, vai continuar sendo determinante para a conquista de uma medalha. No caso dos nadadores, vale até raspar os pelos do corpo para aumentar a velocidade dentro d'água. "Um centésimo de segundo é a menor medida nas provas de natação. É a diferença entre você estar em um lugar comum ou no auge, em seu mais alto nível de exigência", confirma o nadador e empresário Gustavo Borges.

O primeiro pódio na vida de Gustavo foi aos nove anos em Ituverava (interior de São Paulo): chegou em terceiro lugar em uma prova de cinquenta metros. Dez anos depois, em 1992, ele se tornava o segundo nadador mais rápido do mundo, na prova de cem metros livre das Olimpíadas de Barcelona. Porém sua primeira medalha de prata só foi confirmada depois de uma verdadeira montanha-russa de emoções: "Quando toquei o final da piscina, vi que tinha chegado à frente do Matt Biondi e atrás do Alexander Popov, mas não conseguia ter a noção de ter chegado em segundo. Foi uma sensação de frustração total o quarto lugar". Ao relembrar a cena, ele diz que, após trocar olhares com seu treinador, na arquibancada, foi para a piscina de soltura aguardar o resultado oficial (49s43). "Hoje parece que foram centésimos de segundos, mas, na verdade, foram quarenta minutos de agonia, os mais longos da minha vida. A comissão técnica viu uma filmagem eletrônica de cada raia e calculou o tempo exato de cada nadador. Cheguei a considerar a hipótese de um erro técnico, mas confesso que também passou pela minha cabeça que todo o tempo de treinamento e preparo tinha sido desperdiçado", confessa.

Ele já treinava muito, colecionava dezenas de troféus e batia recordes, mas ser um medalhista olímpico colocou o atleta em outro patamar. Aumentou, e muito, a sua exposição na mídia e, também, as pressões para a construção e manutenção da sua carreira. De 1992 até 1996, treinou ainda mais pesado e melhorou seu tempo em quatro décimos de segundo. Nos Jogos Olímpicos de Atenas, ganhou outra medalha de prata, dessa vez nos duzentos metros livre, e o bronze nos cem metros livre, completados em 49s02, tempo inferior ao de Barcelona; isso prova que o reconhecimento pela melhora do tempo de um atleta não depende só da própria superação pessoal, já que o tempo dos outros competidores e da evolução do esporte como um todo também influenciam diretamente no resultado.

"Tive que focar mais, fiz outras escolhas e mais sacrifícios. Não saía à noite, não bebia. Treinava cinco horas por dia, seis vezes por semana. Tinha obrigação de me alimentar bem e descansar. Aliás, descansar também faz parte do treino. A recuperação física e mental é fundamental para qualquer trabalho. O tempo faz parte do DNA de qualquer coisa. Então, é fundamental você ter disciplina e rotina. Assim, você consegue um direcionamento daquilo que precisa ser feito."

Na carreira como nadador, Gustavo acumulou quatro medalhas olímpicas, dezenove pan-americanas e quebrou quatro recordes mundiais. Hoje, ele é empresário e tem um método próprio para educação aquática. A percepção do tempo fora das piscinas, mais rápido ou mais devagar, depende do momento e para onde está canalizando sua atenção. "Tem dia que o tempo rende mais e tem dia que sai do planejado, mas normalmente os dias estão na medida certa. Depende muito da organização pessoal, de como você lida com os compromissos. Porém, quando olho para o meu filho de dezoito anos, penso: 'Em que lugar eu estava esse tempo todo?' Troquei fraldas outro dia e agora ele já está na faculdade! A história passa rápido", finaliza.

Em tempo: menos de um décimo de segundo tirou um dos maiores nadadores brasileiros de todos os tempos das Olimpíadas de 2016. O paulista Cesar Cielo, que já bateu recordes mundiais e olímpicos e foi medalha de ouro em Pequim 2008, não participou da competição e, em uma entrevista que deu para a revista *Veja* em janeiro de 2018, afirmou que na natação não existe critério subjetivo — o que manda é o tempo.

Veloz como um raio

Além da natação, uma das provas mais esperadas nos Jogos Olímpicos é também a mais rápida e dura menos de dez segundos.

Nas Olimpíadas de 2016, no Rio de Janeiro, o torcedor atento nem piscou durante a final dos cem metros rasos para não perder a passagem do jamaicano Usain Bolt. Desde os quinze anos, o homem mais rápido do mundo vinha quebrando os próprios recordes e, de 2008 a 2016, ganhou oito medalhas de ouro nos Jogos Olímpicos e mais de dez em campeonatos mundiais. O Raio, apelido que ganhou durante sua carreira, é considerado o maior velocista de todos os tempos. Parou de correr aos trinta anos após o Mundial de Londres em 2017 e, em 2018, estreou no futebol norueguês com o número 9,58 na camisa, homenagem ao seu recorde mundial. Deixou o menor tempo e outros três recordistas mundiais, o também jamaicano Asafa Powell e os norte-americanos Maurice Greene e Carl Lewis, para trás. Bolt competiu muito menos, mas teve um aproveitamento impressionante em quase uma década de soberania. "Em uma prova de cem metros rasos, um décimo de segundo a menos na pista pode significar milhões a mais na conta de um campeão", complementa o jornalista e comentarista esportivo Fábio Piperno.

O poder político do tempo

O tempo é um estresse constante e pode mudar o rumo de muitas decisões. Os três segundos mais longos do esporte aconteceram nos Jogos Olímpicos de Munique em 1972, como pesquisou o jornalista esportivo Fábio Piperno. No livro *Jogada política no esporte*, ele investigou algumas situações emblemáticas das últimas décadas. "A seleção norte-americana tinha conquistado todas as medalhas de ouro do basquete desde 1936, início da modalidade nas Olimpíadas e, em plena Guerra Fria, Estados Unidos e Rússia se enfrentaram na final do esporte", descreve. No dia dez de setembro, a disputa entre as superpotências foi marcada por vantagens e desvantagens, minuto a minuto, ponto a ponto, além de controvérsias em torno do cronômetro. Quando a campainha reverberou para encerrar a partida, os Estados Unidos estavam na frente, mas a bola estava na mão dos russos e o placar do ginásio mostrava que ainda faltava um segundo para o jogo terminar. Nesse instante começou uma guerra de argumentos. O técnico soviético alegou erro de cronometragem após a execução dos lances livres que deram vantagem no placar para os norte-americanos e que os árbitros não haviam sido comunicados do equívoco. Segundo ele, faltariam três segundos para o fim do jogo e não apenas 1,8 como mostrava o cronômetro. Os integrantes da mesa se dividiram em torno da reclamação, consideraram a hipótese de que a trava que o técnico deveria apertar para acionar a lâmpada que ficava na mesa dos cronometristas não funcionou, que o pedido do técnico russo durante o jogo não tinha sido ouvido, e, por fim, o protesto soviético foi aceito. O jogo recomeçou para mais três segundos de bola em movimento. A cesta final foi marcada pelo russo Alexander Belov e, até hoje, as medalhas de prata dos norte-americanos estão guardadas no Museu Olímpico de Lausane, na Suíça; eles recusaram o segundo lugar e o pódio ficou vazio na cerimônia de premiação.

A missão e a paixão do treinador

Ninguém faz nada sozinho. Em esportes individuais ou coletivos, para cada atleta ou time em ação, existe, pelo menos, um técnico por perto. Ele é quem vai gerir as expectativas, os tempos de treinamento, descanso e recuperação de uma disputa, vencendo ou perdendo, na alegria e na tristeza. "Fisicamente, os atletas sempre estão preparados para partidas de vôlei que duram em torno de duas horas e meia (no passado, esse tempo chegava a até quatro, cinco horas). A grande questão é administrar o ritmo da partida que depende do adversário e da resistência emocional do início ao fim. O voleibol não é um esporte por tempo, é por pontos. Mesmo assim, o tempo vai te consumindo emocionalmente", explicou, com bastante entusiasmo, o técnico Bernardinho.

Em uma Olimpíada, o comprometimento do time é em tempo integral durante a competição. Eles chegam a jogar oito partidas em catorze dias e o tempo dessa maratona tem que ser lembrado constantemente pelo treinador. "Tem que usar bem o tempo para dormir, descansar, repor as energias, se alimentar bem e, se possível, passar algum tempo com alguém da família para estar emocionalmente carregado. O cansaço após uma derrota é diferente do cansaço após uma vitória. Quando você ganha uma partida, seu emocional está para cima; já uma derrota permanece gravada em você por muito mais tempo. Principalmente se ficar procurando culpados. Perde-se muita energia com isso e, para se recuperar, você precisará de muito mais tempo." Antes dessa entrevista, anos atrás, lembro-me de ouvi-lo dizer em uma palestra que só existe um remédio para a derrota: mais treino!

> "Se fico ruminando uma derrota, é sofrimento. Todos nós passamos por perdas, não tem jeito, é a vida. Mas assumir a própria responsabilidade pelo resultado é uma atitude inteligente, o primeiro passo para aprender a melhorar."
> Bernardinho

O conselho do técnico mais bem-sucedido da história do vôlei funciona. Ele é reconhecido pela tenacidade, por tirar todo mundo da zona de conforto e, com isso, colheu sempre excelentes resultados e dezenas de prêmios nos 23 anos em que ficou à frente de equipes masculinas e femininas de alto nível. Conquistou seis medalhas olímpicas, só para citar algumas! Em sua casa existem apenas algumas réplicas, porque, depois de muito suor e disciplina, o treinador recebe gratidão e sente o prestígio pela conquista, mas não ganha medalha como os atletas que estiveram na quadra. Contudo, isso está longe de ser um problema para quem foi escolhido para ser o capitão do time de vôlei, quando começou a jogar, aos doze anos de idade. O esporte é sua vida e paixão assumida.

É importante ressaltar que todos os ouros, pratas e bronzes conquistados em Jogos Pan-Americanos, Copa dos Campeões, Campeonatos e Ligas Mundiais, além dos Jogos Olímpicos, significaram muito tempo longe da família. Em janeiro de 2017, ele deixou o comando da seleção brasileira. "São muitas coisas das quais você abre mão para realizar seu sonho, sua missão. Nas últimas décadas eu não tive nem tempo de respirar. Vivi sempre em uma correria insana. Preciso de tempo com minha família. Tempo para as minhas coisas, que alimentam a minha alma", confessa.

Palavra de campeão.

5
Música, instrumento do tempo

> *A arte é o casamento do ideal e do real.*
> *Une o reino espiritual ao material.*
> *Em tempos de máquinas tentadoras e*
> *mágicas, uma sociedade que esqueça a*
> *arte corre o risco de perder a alma.*
> Camille Paglia

Quando eu era criança, passava as férias escolares na casa do tio Lauro. Por ser um homem de vanguarda, ele estava sempre por dentro das novidades tecnológicas e tinha um aparelho de som que tocava CD. Coisa muito rara na década de 1980, em uma cidade com pouco mais de sete mil habitantes no interior do Paraná. Ouvir música era pelo rádio, disco de vinil ou fitas cassete.

Foi ele quem me apresentou uma banda com quatro jovens cantores ingleses e eu passava os dias dançando, fazendo coreografias em frente ao espelho da sala de jantar e repetindo refrãos que voltavam comigo para casa quando as férias acabavam. Um belo dia, avisei a professora de piano que não queria mais fazer aulas de música clássica. Chopin e Beethoven tinham sido muito importantes para minha formação, mas eu precisava tocar aquelas músicas que não saíam da minha cabeça. E assim, "Michelle" e "Eleanor Rigby" foram cúmplices do meu primeiro e, provavelmente, único ato de rebeldia. Deixei de tocar piano clássico para tocar Beatles. Até hoje, quando ouço de repente "Let it be" tocando no rádio do carro ou em algum ambiente, rebobino trinta anos da minha vida em frações de segundo e vejo minhas mãos ainda pequenas dedilhando o piano.

Eu não tinha pretensões de ser pianista, e acelerando o tempo, já em 1997, quando cheguei a São Paulo, recebi a orientação do professor Sergio Fialho para amenizar meu sotaque do interior do Paraná, caso eu não quisesse perder tempo na construção da minha carreira na capital paulista. Era meu primeiro curso profissionalizante para trabalhar como locutora de rádio e percebi, naquele instante, que meu jeito de falar poderia fechar algumas portas na cidade grande. Eu já tinha dezessete anos e entendi o recado. Mas imagino que para uma criança de oito, lidar com o sotaque não deve ser tão simples assim. Ainda mais quando você muda de estado e de escola, como aconteceu com a Fernanda Takai.

Fernanda

Quando Fernanda chegou a Minas Gerais, seus olhinhos puxados e o jeito de falar da Bahia, além das gírias do colégio anterior, fizeram dela uma estranha em uma classe em que todos os alunos já tinham seus grupinhos. Percebendo o desconforto da filha, sua mãe tratou logo de colocar a menina nas aulas de violão. "Quando comecei a tocar, as pessoas não me perguntavam mais se meu pai era japonês ou por que eu falava daquele jeito diferente dos demais. Elas diziam: 'Nossa, você toca violão tão pequenininha...' Foi muito legal isso. Mudou a minha vida", recorda.

Os anos avançaram e o violão passou a fazer parte, principalmente, das poucas horas de folga que sobravam do trabalho em um escritório de comunicação em Belo Horizonte. Porém, mesmo com o tempo livre reduzido, entrou para uma banda de rock em 1992 e, só depois de quatro anos, dividindo o tempo entre a agenda de trabalho e os compromissos artísticos da banda (apresentando-se até no Hollywood Rock), é que a música deixou de ser hobby para ser a prioridade na vida da Fernanda Takai, então com 26 anos. "Eu só deixei de enxergar que eu era relações-públicas e me vi vocalista do Pato Fu no terceiro disco", revela. Depois dessa decisão, sorte a nossa poder ouvir sua delicada voz cantando versos como:

Tempo, tempo mano velho, falta um tanto ainda eu sei
Pra você correr macio
Como zune um novo sedã
Tempo, tempo, tempo mano velho
Tempo, tempo, tempo mano velho
Vai, vai, vai, vai, vai, vai
Tempo amigo seja legal
Conto contigo pela madrugada
Só me derrube no final

Fernanda conta que a composição de John Ulhoa, lançada no álbum *Gol de quem?*, de 1995, tem que estar em todas as apresentações da banda. "Provavelmente essa é a música que apresentou o Pato Fu para o país. Nos shows, eu vejo as pessoas cantando 'Sobre o tempo' como se estivessem repassando momentos de suas vidas. É uma comoção. Tem sempre alguém comentando que relembra do tempo da faculdade, do primeiro violão ou de outros períodos marcantes quando escuta a música. É engraçado quando as pessoas, mesmo repetindo a letra, procuram entender o significado de 'como zune um novo sedã'. Um carro novo é sempre macio, ele não faz barulho e anda fácil.

Então, essa é a ideia que a gente tem. Que o tempo amigo seja legal como um novo sedã, que passa a sensação de que a estrada corre macia, que você tem autonomia. Interpreto a música para que a vida seja boa, tenha amor, afetividade e, por mais que eu cante 'só me derrube no final', isso é muito subjetivo. Você pode morrer jovem e ter uma vida muito feliz. Não importa quando será o seu final, importa que seu caminho tenha sido bom até ali, até onde conseguiu chegar", explica.

Ela tem consciência que é instrumento do tempo para os fãs e também reconhece os ídolos que marcaram a própria história. Regravou com o Padre Fábio de Melo *Amar como Jesus amou*, canção do Padre Zezinho da década de 1970. "Quando canto essa música, lembro-me da minha primeira comunhão, da época de escola, da minha professora que era freira, de que eu era pequenininha e tinha um violão do meu tamanho. Essa canção tem um viés católico, mas é pop e fez muito sucesso no Brasil. A música é um marcador de tempo muito importante. Você pega a linha do tempo e fala assim: nessa época eu gostava de The Cure, nessa outra eu aprendi a tocar umas músicas do Gilberto Gil, de repente você se lembra do namorado da época e assim vai", resgata. Sobre o tempo estar passando mais rápido ou não, Fernanda contou que só com disciplina e alguns NÃOS para conseguir organizar os compromissos na agenda de musicista, mãe, filha, esposa, dona de casa, de cachorro, de gato... "Aos quarenta anos eu tive um piripaque. Cheguei à exaustão, fui entupindo meu cérebro de coisas. Sentia uma aflição por querer encher demais o tempo, até que aprendi a dizer não. Cancelei alguns shows, parei de escrever para uma coluna no jornal. Custei para aprender, mas hoje meu ritmo está mais lento. Tanto que, quando lanço um disco, quero que ele dure mais tempo. Não gosto que as coisas que eu faça tenham vida curta", pondera.

Gilberto

Um dos ídolos que fazem parte da memória musical da Fernanda — e de tantos outros apaixonados por música brasileira — me contou, em uma sala iluminada com vista para o Cristo Redentor, que, hoje em dia, pelo fato de estarmos cada vez mais ocupados e envolvidos com várias atividades, a aceleração é maior. "Não é a aceleração do tempo. Ele não existe. Somos nós, com nossas acelerações, maiores ou menores, que vamos dando sentido a essas velocidades. O tempo não existe sem a consciência humana, que faz o registro da sua passagem", ratifica Gilberto Gil. O pai de "Tempo Rei" recorda que se inspirou em "Oração ao tempo", do amigo Caetano Veloso, para compor essa outra poesia sobre o passar dos anos. Desde a década de 1980, ele canta para não nos iludirmos com as pressas que vamos criando:

Tempo Rei! Oh Tempo Rei! Oh Tempo Rei!
Transformai as velhas formas do viver
Ensinai-me Oh Pai o que eu ainda não sei.

Gil musicou a incógnita que é o amanhã, o que não podemos prever. "Qualquer coisa que venha a acontecer está por um segundo. 'Tempo Rei', de alguma forma, lhe toca o fio da alma, chama a atenção", observa. Pelo rádio, no interior da Bahia, ele ouvia Luiz Gonzaga e começou sua carreira ao lado de um acordeão, ainda nos anos 1950. Até agora, já vendeu em torno de quatro milhões de cópias dos quase sessenta discos que lançou. Sim, são números grandiosos e que representam, sobretudo, o número de corações que viveram mudanças pessoais embaladas por canções cheias de ritmo, além das transformações na política e na arte do país.

Senti muita emoção quando ele descreveu como é quando alguém o associa a alguma lembrança particular. "Ocorre com frequência ouvir pessoas relatando com entusiasmo que tal música impactou a transição da infância para a adolescência. As letras que propiciaram a compreensão mais profunda sobre o amor, sobre a necessidade do encontro com o outro. Esses depoimentos significam uma aproximação afetiva muito grande. Isso me faz bem. Me dá a noção de estar no mundo, do que eu faço, do que eu tenho. Dá respostas às questões da infância", revelou.

Caetano

E se os porquês são respondidos ao longo da vida como Gil defende, foi justamente no rostinho infantil do filho que o contemporâneo Caetano Veloso fez um pedido ao tempo, suplicando prazer legítimo e movimento preciso em troca de benefícios, elogios e rimas, em um segredo partilhado entre o homem e o tempo: "Tive uma intuição de me dirigir ao tempo como quem sabe o que ele é — a realidade que tudo atravessa — e também como quem, não sabendo o que ele é, adora-o como a um deus entre os outros. Um deus muito especial, haja vista a beleza tão grande quanto a do rosto de Moreno aos quase sete anos. Pensei no politeísmo iorubá. Imaginei um pedido ao tempo e uma conversa com ele sobre isso. Fui fazendo a música, repetitiva", me escreveu, por e-mail.

Para mim, uma das partes mais comoventes da música "Oração ao tempo", lançada no álbum *Cinema transcendental*, de 1979, é a consciência da partida com a preocupação de quem fica:

Tempo Tempo Tempo Tempo
E quando eu tiver saído

Para fora do teu círculo
Tempo Tempo Tempo Tempo
Não serei nem terás sido
Tempo Tempo Tempo Tempo
Ainda assim acredito
Ser possível reunirmo-nos
Tempo tempo tempo tempo
Num outro nível de vínculo

"O tempo é matéria da música. E ela é uma forma de arte que o nega: há em uma melodia que conhecemos, reconhecemos ou lembramos, uma forma que usa o tempo para definir-se. Ela se dá fora do tempo. Os livros, os poemas, as peças de teatro, os filmes também têm o tempo entre suas matérias. Mas a música toma conta de um pedaço de tempo para formar uma estrutura de pura música, essa estrutura se inscreve na mente como algo sincrônico", coloca Caetano.

Nelson

Além de mexer com o tempo, Nelson Motta diz que as músicas são veículos das emoções. Elas nos fazem lembrar de partes de nossas histórias evocando lugares, pessoas, cheiros e cores. Ou seja, tudo o que a memória é capaz de guardar. Nelson nem dava bola para música até os catorze anos, mas, quando ouviu João Gilberto cantando "Chega de saudade"*,* a indiferença foi substituída por uma paixão avassaladora que dura até hoje. Essa relação amorosa o colocou em sintonia com os principais cantores e bandas das últimas cinco décadas e ele participou, direta ou indiretamente, das principais transformações culturais do país.

"A bossa nova só poderia acontecer em um ambiente de liberdade, época de Juscelino Kubitschek, de progresso, futuro. Foi uma invenção totalmente brasileira e acabou ganhando o mundo. Depois, veio a ditadura e a MPB marcou aquele período com músicas de oposição. A discoteca deu início à abertura política e, finalmente, os anos 1980 chegaram com o rock nacional. Rita Lee e Raul Seixas, um dos pioneiros do movimento, ficaram mais livres com o fim da censura. Lulu, Lobão, Titãs, entre outros, entraram em cena com o pé na porta. Depois foi a vez do sertanejo, trilha sonora dos anos Collor. Era o pior momento econômico e os sertanejos cantaram muitas músicas tristes. A reação chegou com o festivo axé, quase que ao mesmo tempo da implantação do Plano Real.

"A partir da virada do milênio, com a internet e a globalização, ficou impossível ter hegemonia de qualquer gênero musical, já que todo mundo tem acesso a tudo, fragmentou tudo... Essa é a era das grandes fusões e misturas de ritmos. A tecnologia abriu possibilidades ilimitadas para a criação musical. Nem o mais sonhador dos músicos imaginou que um dia teria a seu dispor os recursos que tem hoje, que permitem que você faça sozinho em sua casa uma orquestra sinfônica, grave todos os instrumentos, faça a mixagem. Esse cenário é incrível para a criatividade dos músicos. A música eletrônica privilegiou o ritmo, o harmônico, e, de vez em quando, tem alguém cantando. Já o rap é o contrário, privilegia a letra. É a forma mais democrática, mais minimalista de música jamais inventada, e, por fim, o funk é puro improviso. Uma invenção carioca, com o mínimo de recursos, em que o cantor vai falando na sua própria linguagem. Claro que quem tem conhecimento musical leva vantagem, mas hoje não precisa mais saber música para fazer música, essa é a verdade", resume.

Foi em uma tarde de verão que o jornalista compartilhou essa eloquente síntese dos ritmos que compõem a trilha sonora brasileira desde a transição das décadas de 1950 e 1960 até os dias atuais. Em um dos lados da sala em que estávamos, havia um grande espelho, do teto ao chão, que escondia qualquer vestígio de parede para apenas refletir e exibir o mar da praia de Ipanema. A natureza oceânica, que é parte da inspiração musical que marca sua história, está ao alcance dos seus olhos constantemente. "Como uma onda", de 1982, parceria com Lulu Santos, fala das mudanças constantes da vida, da certeza de que tudo vem e vai, das alegrias e tristezas, num indo e vindo infinito.

Nada do que foi será
De novo do jeito que já foi um dia
Tudo passa, tudo sempre passará
A vida vem em ondas como o mar
Num indo e vindo infinito
Tudo o que se vê não é
Igual ao que a gente viu há um segundo
Tudo muda o tempo todo no mundo

"É uma reflexão sobre o tempo, por esse eterno recomeçar. Eu tinha trinta e poucos anos quando fiz essa música. Lulu Santos tocou a melodia pela primeira vez e na mesma hora me veio uma frase 'a vida vem em ondas, como o mar', que é um famoso verso do Vinicius de Moraes, do poema *Dia da Criação*. A partir dessa frase, construí a letra toda nesse sentido", relembra. Os combinados trinta minutos iniciais de entrevista se transformaram em quase duas horas. Para minha sorte, não tinha jogo do Fluminense (time do Nelson), e era sábado, como o Poetinha escreveu em outro verso da mesma poesia de 1946: "Hoje é que é o dia do presente. O dia é sábado".

Nelson já compôs mais de trezentas músicas e, provavelmente, na trilha sonora do meu querido leitor ou leitora, deve haver algum momento embalado pela criatividade desse paulistano que, mesmo não gostando de réveillon, conseguiu escrever um dos jingles mais populares e eficientes para despertar aquela sensação da finitude do tempo. Quando ouço: "Hoje é um novo dia, de um novo tempo que começou. Nesses novos dias, as alegrias serão de todos, é só querer. Todos os nossos sonhos serão verdade, o futuro já começou...", instantaneamente começo a olhar para as últimas semanas do ano como quem acaba de descobrir que o parque de diversões já está para fechar. "Que ironia. Uma coisa que era para ser fugaz — a natureza do jingle é perecível — está aí há cinquenta anos. Eu tinha uma produtora com os irmãos Marcos Valle e Paulo Sérgio quando a TV Globo nos pediu um jingle de Natal, uma música de família. Fizemos, eles adoraram, mas nunca imaginamos que seria uma bomba atômica: ela começou a tomar conta das festas de fim de ano. Foi a maior surpresa da minha vida e também para a TV", relembra.

Irônico é saber que, no passado, ele já gostou do réveillon, mas hoje odeia. "Meu pai já falava que a hora que ele sentia mais a passagem física do tempo era no fim do ano. O aniversário tem um caráter diferente. Eu estou comemorando estar vivo, recebo presentes físicos e espirituais, é uma data de comemoração de ter chegado até ali. O fim do ano, não. Não tem nada. Acabou um tempo e começa outro. Aquilo já foi. Quando você é criança, um dia leva uma eternidade. Você brinca e o dia não acaba. O aniversário leva dez anos para chegar. Já mais velho você pensa: já passou um ano ou uma semana?", provoca.

Essa percepção da passagem rápida do ano tem a ver com a quantidade e intensidade das atividades que realizamos. Nelson não quer desperdiçar tempo, porque deseja produzir mais.

A curiosidade dele não diminuiu com o passar dos anos e, aos 75, ele valoriza bastante o tempo lógico, de qualidade, conforme explica: "Sinto uma animação, um deslumbramento de menino. A vontade de descobrir e compartilhar são a minha vocação, e, quando você vai ficando mais velho, o seu tempo fica mais precioso. Aprendi a me organizar e ficar de bobeira não é útil para mim. Invento logo um livro, alguma coisa para escrever. Acho bom conseguir ter equilíbrio entre o trabalho e lazer, mas para mim eles estão misturados, tanto que uma das maiores maravilhas da vida é você ganhar dinheiro com o que você adora. Eu pagaria para fazer as coisas que eu faço ou que fiz ao longo da minha vida, mas na verdade eu recebi por isso e criei minhas filhas, sobrevivi à custa dessa escolha", complementa. Quando alguém lhe conta que certa composição dele faz parte de sua história de vida, o sorriso toma conta do rosto dele e a sinceridade transborda em gratidão. "Não há dinheiro que pague. Além de instrumento, sou também testemunha do meu tempo. Saber que uma música servirá de referência para outras pessoas é como viver além da sua vida; a grande ambição da música é a sua permanência", finaliza.

Oswaldo

Mesmo a música sendo uma organização de sons e pausa, a prova sonora de que existe equilíbrio entre ruído e silêncio, agitação e calmaria, uma verdadeira máquina de teletransporte para o passado, conheço muitas pessoas que acreditam ser um luxo ou um desperdício de tempo dar uma paradinha apenas para ouvir uma boa música, assistir a um show ou aprender a tocar um instrumento… Estão correndo de uma tarefa para outra, com listas que vão se acumulando em quantidades imensas de coisas para fazer. Sabendo disso, Oswaldo Montenegro propõe um guia diferente desde 1999, quando compôs a música "A lista". Ele canta perguntas que provocam reflexões sobre o balanço do tempo:

> *Faça uma lista de grandes amigos*
> *Quem você mais via há dez anos atrás*
> *Quantos você ainda vê todo dia*
> *Quantos você já não encontra mais*
> *Faça uma lista dos sonhos que tinha*
> *Quantos você desistiu de sonhar!*
> *Quantos amores jurados pra sempre*
> *Quantos você conseguiu preservar...*
> *Onde você ainda se reconhece*
> *Na foto passada ou no espelho de agora?*
> *Hoje é do jeito que achou que seria*
> *Quantos amigos você jogou fora?*

"Eu vejo o tempo com muita aflição. Sou um otimista no sentido de que a vida é maravilhosa, mas sou um pessimista no sentido de que ela é fugaz. Acho que 90% da humanidade ouve que bom mesmo será quando você entrar na faculdade, bom mesmo será quando você sair da faculdade, bom mesmo será quando você se casar, mas bom mesmo só será quando seus filhos já estiverem criados... E a tal da vida não começa nunca! É preciso fazer com que a vida comece. Nós precisamos, talvez, abdicar da ideia do acerto, da segurança, que são duas abstrações que inventaram, mas que não existem", reflete Oswaldo. Desde muito cedo ele já se questionava sobre a brevidade da vida e a necessidade de se viver um tempo bem vivido.

"Eu achava que com quinze anos eu já tinha desperdiçado quinze anos da minha vida. E a sensação que eu tenho é que não é mais neurose. A vida é insuportavelmente curta. Eu estou agora com 61 anos, prestes a entrar na adolescência", contou o cantor.

Oswaldo se define como um homem intenso e, assim, se preocupa em fazer sempre o melhor que pode. "Eu trabalho com arte o tempo todo; quando não estou fazendo música, estou fazendo cinema. Detesto férias e acho a vida fora da arte insuportável. É um privilégio saber que minhas canções fizeram companhia para alguém de alguma maneira. Sempre acho que minha carreira valeu de alguma coisa quando uma canção minha consola alguém. Aí valeu a pena cantar, minha vida teve uma função", confessa.

Identifico-me demais quando ele diz que o problema dos tempos atuais chama-se excesso. "O ser humano está muito angustiado com a quantidade de opções. Somos mimados pela tecnologia, a quantidade de prazeres oferecidos é tão grande que ficamos que nem criança. Você entrava em um lugar há trinta anos e dizia: eu quero um café. Agora, existe mocaccino, cappuccino, descafeinado... O ser humano quer viver uma vida tranquila e muito agitada, mas isso não é possível; quer transar com todas as mulheres do mundo e ser muito fiel à sua parceira. Existe uma quantidade absurda de oferta e de prazer que é uma coisa insuportável. Querer usufruir de tudo é querer ser onipotente, mas não dá para fazer tudo ao mesmo tempo. Você precisa entender que existe a oportunidade, o direito e a tragédia da escolha; para isso não há escapatória: você terá que escolher", explica. "O vilão do meu tempo é a minha ansiedade. Eu já acordo atrasado mesmo que não tenha compromisso. Então, a minha ansiedade de aproveitar o tempo é patológica. Não me foi dado o dom da calma, eu tenho o dom da alegria, o dom da emoção, mas paz é uma coisa que eu só ouvi falar, nunca cheguei nem perto. A minha sensação é que nem vi o tempo acelerar porque, para mim, ele sempre esteve acelerado. Sempre foi rápido e eu sempre estive atrasado", revela Oswaldo.

Lenine

O cantor e compositor de uma das músicas mais mencionadas durante os anos de pesquisa para este livro contou que, por não ser o homem mais zen do mundo, busca a paciência diariamente, faz vista grossa para não perder tempo com bobagens e assim coloca atenção apenas àquilo que é importante. "O tempo é uma unidade inventada. Se ele corre ou desacelera, isso é meramente a percepção de cada um. Eu não perco tempo medindo o tempo e faço isso desde o início da minha consciência, foi uma opção anterior à minha carreira. Lembro-me do meu pai e da minha mãe celebrando a vida e isso virou uma questão comum para mim. Não perco tempo olhando para o passado. Minha urgência é do agora, sou o cara do agora, o que me interessa é agora", explicou Lenine. E, sabendo que a vida não para, em tempos de agendas exageradamente preenchidas, o pernambucano inspira momentos de calma quando o corpo pede um pouco mais de alma cantando, desde 1999, "Paciência", música lançada no álbum *Na pressão*:

Enquanto o tempo
Acelera e pede pressa
Eu me recuso, faço hora
Vou na valsa
A vida é tão rara

[...]
Será que é tempo
Que lhe falta pra perceber?
Será que temos esse tempo
Pra perder?
E quem quer saber?
A vida é tão rara
Tão rara

"Essa música fala um pouco sobre uma pausa estratégica. O ser humano precisa pausar de tempos em tempos. Meu pai também me ensinou a fazer isso anualmente e a buscar respostas para três perguntas: O que você faz? Por que você faz? E para quem você faz? Eu me vejo como colunista do meu tempo. Compor significa se pôr no lugar do outro e é massa escrever uma pílula da memória. Durante um show, recebo um tsunami de emoção, isso dá sentido ao que faço. Só canto o que realmente me comove e isso me garante a sanidade", revela.

Nessas trocas constantes, seja em uma apresentação ao vivo ou por algum equipamento que amplifique uma canção, a trilha sonora de nossas vidas vai sendo construída a cada ano com os tijolinhos de diversas experiências para a casa da memória afetiva. As músicas vão ganhando status e significados particulares e, assim que os ouvidos captam determinada melodia, o cérebro processa as emoções, sentimentos que se relacionam com a realidade ou com a imaginação. Essas percepções geram reações faciais, alteram o ritmo cardíaco e podem preencher o coração com alegria, saudosismo, tristeza e os olhos ficam mais úmidos com lágrimas de um tempo que não volta mais. Pode parecer clichê, mas é a verdade. Cada um pode reagir de uma maneira, mas a música é arte que transforma o tempo e com o tempo.

> Qual canção ou intérprete tem o poder de lhe transportar para situações inesquecíveis do passado? Quando uma música se torna sua?

Você

Evidentemente que na sua lista de músicas favoritas existem outras eleitas que falam sobre o tempo, e outros cantores e cantoras que fazem parte da trilha sonora da sua vida. Eu poderia citar mais uma infinidade de canções nacionais e internacionais que marcaram movimentos e épocas distintas ou, então, mais artistas que são admirados por suas obras em diversos estilos. Mas a minha intenção, com todas as histórias mencionadas até aqui, é propor um momento de reflexão e sugerir uma pausa embalada pela música que faz mais sentido para você. Não importa qual seja. Já quem acha que não tem nem um tempinho para isso, em tempos tão acelerados e cheios de tarefas, é só lembrar que é melhor uma pausa voluntária do que uma involuntária.

Se as histórias contadas aqui apresentam as inspirações por trás de profissionais que admiramos, de pessoas que tornaram tangível a passagem do tempo, também vale lembrar que sempre é tempo para começar a tocar um instrumento, pintar ou escrever poesias, por exemplo.

Será preciso fazer uma pausa e uma escolha. Transformadoras, na maior parte das vezes.

> Até nas músicas mais agitadas existem momentos de pausa.

IV
Ciência

Alguma coisa está fora da ordem

Fora da nova ordem mundial

Caetano Veloso

1
O que a ciência diz, por enquanto

> *O tamanho e a idade do Cosmos estão além da compreensão humana comum. Perdido em algum lugar entre a imensidão e a eternidade está o nosso pequenino lar planetário.*
>
> Carl Sagan, 1981

Afinal, o tempo está passando mais rápido ou nós estamos passando mais rápido pelo tempo? "A Terra continua girando em torno do próprio eixo, em média, 24 horas por dia." Ouvi esta afirmação de todos os físicos, astrônomos, professores e do cosmólogo com quem conversei durante os anos de pesquisa para este livro. Repito, em média, 24 horas por dia. Sabemos que os dias e as noites regulam a maior parte das atividades do ser humano, o que significa a utilização permanente do nascer e do pôr do sol, ou seja, a rotação da Terra como referência para usos civis. Entretanto, Zulmira de Almeida Brandão, ex-servidora do Observatório Nacional, explica que, com os avanços das pesquisas científicas, associadas à moderna tecnologia, foi possível observar irregularidades na rotação do nosso planeta que, embora a médio prazo não prejudiquem as atividades da sociedade, podem afetar as aplicações mais precisas de tempo, uma vez que acumuladas chegam a décimos de segundo. "Com base nas transições atômicas e em suas frequências muito bem definidas, associadas às radiações eletromagnéticas emitidas ou absorvidas por átomos ou moléculas, passou-se a utilizar um número de ciclos correspondentes a essas frequências para se definir a unidade de tempo."

Você sabia que o segundo não é mais um piscar de olhos faz tempo? "Hoje, o intervalo de tempo chamado segundo é definido por um sistema internacional de medidas por 9.192.631.770 oscilações dos átomos de césio 133. A acumulação dos segundos gera os minutos, as horas, os dias... Isso não está acelerando ou desacelerando. De tempos em tempos, os relógios atômicos, os mais precisos do mundo, atrasam apenas nanossegundos, que significam um segundo dividido por 1 bilhão de vezes. Então, não é possível perceber isso fisicamente. São as pessoas que estão acelerando ou desacelerando o estilo de suas vidas. A percepção da passagem do tempo é uma coisa psicológica e mental", confirma o engenheiro elétrico Ricardo José de Carvalho, coordenador do Serviço da Hora do Observatório Nacional do Rio de Janeiro. Ele trabalha há mais de trinta anos em torno dos relógios que, desde a década de 1960, são os guardiões do tempo no Brasil. "Temos um conjunto de relógios oficiais atômicos de alta precisão que somente serão corrigidos em um segundo a cada 10 milhões de anos. A hora oficial de Brasília é gerada, na verdade no bairro de São Cristóvão, no Rio de Janeiro. Nós mantemos uma rede de sincronismo que atende instituições públicas e privadas. A hora certa é a referência para todas as atividades comerciais científicas do Brasil. Por exemplo, quando você gera um documento eletrônico, as instituições colocam a data e a hora no arquivo ou papel. Somos responsáveis por garantir essa precisão", explica. Ou seja, a rotação da Terra pode sofrer microdiferenças entre um dia e outro, mas nada que realmente interfira em nosso *modus operandi*. Enquanto isso, os relógios atômicos garantem a precisão que a modernidade exige. Eu poderia já encerrar este capítulo aqui, mas, para os que ainda não estão convencidos, vou continuar com mais informações e reflexões sobre o tempo para que você chegue ao seu próprio estado de eureca.

O professor de física da Universidade Federal de São Carlos, Adilson de Oliveira, reforça a mensagem de que, quando nos desligamos do sol e nos aprisionamos nos ponteiros de forma contínua, a história mudou. "É fácil perceber que muitos de nós estamos escravos de nossas escolhas a partir de um marcador que já sabemos ser artificial. O relógio oprime, porque colocamos mais e mais coisas no nosso dia", complementa.

> O tempo, para cada um, às vezes acelera e às vezes desacelera. Se eu não consigo perceber essa diferença, significa que estou em um piloto automático constante.

"O tempo é uma das piores coisas para explicar. Por exemplo, será que o tempo é mais velho do que o espaço? Eu acho que sim. O tempo já existia quando uma partícula explodiu, o Big Bang. Então não conseguimos determinar o zero absoluto. Isso significa que a gente convencionou o tempo. Durante milênios, a sociedade toda sentou a uma mesa com astrônomos, físicos, monges, matemáticos, Papas, Reis e outros interessados na precisão do tempo e suas consequências financeiras, e foi concluindo que era preciso estabelecer um tempo em que todos teriam que ter um relógio para cumprir os compromissos combinados. A hora atômica, um acumulado de segundos definidos depois de nove mil oscilações do átomo de césio, é uma convenção para uma maior precisão", reforça o físico e astrônomo Carlos Henrique Veiga, do Observatório Nacional do Rio de Janeiro.

Diferenças e evidências

"Existe uma diferença grande entre o tempo solar verdadeiro e o tempo solar médio. O verdadeiro leva em consideração as variações do movimento da Terra, ou seja, todo dia a Terra oscila um pouco para mais ou para menos. Por exemplo, o tempo solar verdadeiro hoje será de 23 horas e 56 minutos, amanhã o dia pode ter 24 horas e três minutos. Acertamos isso com um tempo solar médio, fictício, de 24 horas, e assim todos teremos o mesmo horário. Se não fosse assim, teríamos que acertar o relógio todos os dias", explica o físico Carlos Henrique. Portanto é a astronomia que bate o martelo para a sincronia do tempo viabilizar o tempo preciso de pousos e partidas de aviões, transmissões via satélite etc. "O que se observa na natureza com satélites e sondas espaciais é que o período de rotação da Terra não mudou tanto para que a nossa convenção de 24 horas pudesse ser alterada. Fisicamente, nada foi observado. Não é isso que está fazendo com que as pessoas tenham a impressão que o dia está mais curto. Existe alguma coisa social dentro do planeta, que torna as pessoas mais ansiosas. É emocional. O mundo exige da gente muito mais informação, muito mais pesquisa, interação e aí o dia ficou curto para todas essas questões do cotidiano", complementa o físico. Existem oscilações conhecidas por conta da mudança de posição do eixo da Terra, mas tudo é milimétrico e nada disso altera o comprimento do dia. "Nós sabemos que o ano não tem 365 dias exatos. Por isso temos os anos bissextos. Já aprendemos na escola que a cada quatro anos temos um dia a mais", explica a pesquisadora, física e astrônoma Josina Oliveira do Nascimento, também do Observatório Nacional.

> Considere pensar por alguns segundos como todo o Universo está vibrando, nada está parado. O mundo está constantemente se ajustando. A inclinação da Terra permite as estações do ano, que nos pautam todos os dias de uma maneira diferente. Nenhum dia é igual ao outro.

Temperatura, vento, umidade, pressão, por exemplo, tudo muda diariamente. A natureza vai buscando o equilíbrio, mesmo que isso signifique tempestades ou estiagens. "O passado já está ultrapassado. Sou uma cientista. É claro que eu gosto da tecnologia, mas acho que tudo a seu tempo e ao seu limite. Não se pode usar as coisas de forma ilimitada. Até água demais pode atrapalhar uma região seca. Até amor demais sufoca", reflete a pesquisadora sobre colocarmos a culpa no tempo e não em nossas escolhas. E, para quem ainda acredita que a Terra está acelerando, agora é a hora da verdade: ela está desacelerando!

Rotação mais lenta

A desaceleração é um fenômeno de longo prazo. Uma das razões dessa perda de velocidade de rotação é devido à força de marés provocada pela atração gravitacional da Lua. Essa força de marés, devido ao atrito, faz com que a velocidade de rotação da Terra diminua. Então, não subestime a influência da lua sobre nós e também nas marés oceânicas. Tanto é que o último minuto de 2016, por exemplo, teve 61 segundos. O segundo a mais, ou *leap second*, foi necessário para ajustar o tempo perdido com a desaceleração. Outros 36 segundos já foram adicionados desde 1972.[3] Ajustes como esses são necessários porque, como vimos, a rotação da Terra às vezes acelera, às vezes desacelera, por causa das forças gravitacionais da Lua. Ou seja, o tempo astronômico, baseado na duração de um dia na Terra, gradualmente fica fora de sincronia com o tempo atômico. Mas é tudo imperceptível para terceirizarmos a culpa de que o tempo está passando mais rápido.

De 24 horas para 16 horas por dia

Anos atrás me contaram que a razão para nossa percepção de o tempo estar voando relaciona-se ao fato de o dia só ter dezesseis horas. Oi? Fui investigar a origem da notícia e descobri que um grupo de cientistas progressistas e teólogos europeus, latino-americanos, asiáticos, norte-americanos e africanos se reúnem uma vez por ano para discutir os assuntos da revista internacional de teologia *Concilium*, fundada em 1965. Ela é publicada em sete línguas: francês, inglês, italiano, alemão, holandês, espanhol e português, com temas relevantes para o cristianismo. O site da própria revista reconhece que muitos assuntos são polêmicos. Em uma dessas reuniões, na Holanda, um cientista, discípulo de Werner Heisenberg (físico alemão que recebeu o Nobel de Física em 1932 pela criação da mecânica quântica), apresentou a relação das alterações da ressonância Schumann com o aumento de desequilíbrios humanos e ambientais, e que o tempo diário de 24 horas foi reduzido para dezesseis horas. O teólogo e escritor

---

3. Disponível em: <https://www.ietf.org/timezones/data/leap-seconds.list> [conteúdo em inglês].

Leonardo Boff, que participou por vinte anos dessas reuniões, ouviu as colocações do cientista e, de volta ao Brasil, publicou em março de 2004, no *Jornal do Brasil*, o seguinte texto:

> Não apenas as pessoas mais idosas, mas também jovens fazem a experiência de que tudo está se acelerando excessivamente. Ontem foi Carnaval, dentro de pouco tempo será Páscoa, mais um pouco, Natal. Esse sentimento é ilusório ou possui base real? Pela "ressonância Schumann" se procura dar uma explicação. O físico alemão Otto Schumann constatou em 1952 que a Terra é cercada por um campo eletromagnético poderoso que se forma entre o solo e a parte inferior da ionosfera que fica cerca de cem quilômetros acima de nós, criando o que se chamou de "cavidade Schumann". Nessa cavidade produz-se uma ressonância (daí chamar-se *Ressonância Schumann*) mais ou menos constante da ordem de 7,83 hertz (pulsações por segundo). Funciona como uma espécie de marca-passo, responsável pelo equilíbrio da biosfera, condição comum de todas as formas de vida. Essa ressonância está ligada ao sol e às condições ecológicas gerais da biosfera e da atividade poluidora humana.
>
> Verificou-se também que todos os vertebrados e o nosso cérebro são dotados da mesma frequência de 7,83 hertz. Empiricamente fez-se a constatação que não podemos ser saudáveis fora desta frequência biológica natural. Antes, ela é extremamente propícia para o estudo e para o equilíbrio emocional humano. Quando nosso sistema biológico funciona nos parâmetros desta frequência, ele está *em sintonia com a frequência magnética da Terra*. Por milhares de anos as batidas do coração da Terra tinham essa frequência de pulsações e a vida se desenrolava em relativo equilíbrio ecológico. Ocorre que a partir dos anos 80 e de forma mais acentuada a partir dos anos 1990 a frequência subiu de 7,83 para 11 e para 13 hertz por segundo. O coração da Terra disparou. Coincidentemente

desequilíbrios ecológicos se fizeram sentir: perturbações climáticas, maior atividade dos vulcões, recrudescimento do "el Niño", maior degelo nas calotas polares, aumento de tensões e conflitos no mundo e de comportamentos desviantes nas pessoas, entre outros. Devido à aceleração geral, a jornada de 24 horas, na verdade, é somente de 16 horas. Portanto, a percepção de que tudo está passando rápido demais não é ilusória, mas teria base real neste transtorno da ressonância Schumann.

Apenas enfatizo a tese recorrente entre grandes cosmólogos e biólogos de que a Terra é, efetivamente, um superorganismo vivo, e que Terra e humanidade formam uma única entidade, como os astronautas testemunham continuamente lá de suas naves espaciais.

Se quisermos que a Terra reencontre seu equilíbrio devemos começar por nós mesmos: fazer tudo com menos stress, com mais serenidade, com mais amor que é uma energia essencialmente harmonizadora. Para isso importa sermos um pouco ante cultura dominante que nos obriga a ser cada vez mais competitivos e efetivos, gerando desequilíbrio generalizado nas relações humanas. ("Tempo acelerado", *Jornal do Brasil*, 05/03/2004)

"Na época, publicamos o assunto para conhecimento do fenômeno e foi traduzido em várias línguas. Muita gente considerou a associação da alteração da ressonância com o aumento dos comportamentos desviantes uma ilusão, uma mentira. Eu não inventei o fenômeno. Reproduzi o que ouvi. Otto Schumann criou e testou a teoria. Ele colocou alguns alunos dentro de uma caixa de chumbo enorme onde a ressonância não chegava, e eles começaram a sentir alterações enormes entre eles. Isso sempre existiu, pertence ao conjunto da Terra, mas entrou na consciência dos cientistas na década de 1950. A aceleração pertence ao jogo das coisas. Às vezes acelera mais e às vezes acelera menos", recorda e enfatiza o teólogo em uma conversa que tivemos em São Paulo.

Leonardo explica que o aceleramento é um fenômeno recíproco. "Lá é consequência do que fazemos aqui. O cinturão energético (a ressonância Schumann) começou a se acelerar por causa da nossa aceleração, com o desenvolvimento tecnológico mais acentuado. Ele (o cinturão) acelerado também começou a incidir sobre nós, fazendo acelerar mais as coisas. Não é que ele por ele mesmo começou a acelerar. Ele é um fenômeno antropogênico, produzido pelos seres humanos. Como o aquecimento global. Todos os documentos da Organização das Nações Unidas (ONU) dizem que o aquecimento é um fenômeno produzido pelo processo de industrialização que está aquecendo cada vez mais o planeta. Terra e humanos formam um organismo vivo, é uma unidade. Um influencia o outro", ratifica.

É como jogar lixo na rua. Com os bueiros cheios de sujeira, depois de uma chuva volumosa, o lixo tende a voltar ao caminho de quem o colocou fora do lugar. Se estou nervosa e emano essa energia, o mesmo tipo de energia pode voltar para mim. "No início do século passado, com a teoria da relatividade, Einstein já mostrou que matéria e energia são sinônimos. Matéria é energia altamente concentrada e energia irradia", observa. Leonardo relembra que a industrialização acelerou a capacidade de intervenção na natureza e que já estamos extraindo violentamente os recursos naturais da Terra. "O projeto da modernidade é ilimitado — ocorre que o planeta é limitado. Como o ser humano intervém científica, mecânica, planejada e destrutivamente em grande parte do planeta, a Terra perdeu o seu equilíbrio. Estamos destruindo a base físico-química que sustenta a vida. Isso vai ter repercussão lá em cima, na ressonância Schumann", defende.

O que sabemos até agora?

Os cientistas usam a radiação nas frequências de Schumann para monitorar a incidência de descargas elétricas na atmosfera, entre a superfície da Terra e a base da ionosfera, onde se forma um guia de onda. "As radiações nas frequências de Schumann estão associadas às atividades de raios no planeta. Seus valores (aproximadamente 7 Hz, frequência fundamental, e 14 Hz, 21 Hz, 28 Hz, frequências harmônicas, que sofrem ressonância a partir da frequência fundamental) dependem da estrutura da atmosfera e variam muito pouco com a hora local, quantidade de raios, atividade solar, atividade magnética, entre outros fatores. Não ocorreu nenhuma variação acentuada nestas frequências nas últimas décadas. Os valores sofrem apenas pequenas variações, equivalentes a 0,5 Hz", explica o cientista Osmar Pinto Junior, coordenador do Grupo de Eletricidade Atmosférica (ELAT) do Instituto Nacional de Pesquisas Espaciais (INPE). O cientista é o maior pesquisador de raios no país e associa as variações rápidas, em intervalos de menos de uma hora, nas intensidades da radiação nas frequências determinadas acima, devido a diferentes processos, em geral, associados a variações rápidas na atividade solar.

"O aquecimento global também pode afetar estas intensidades, devido ao aumento da quantidade de raios, mas, diferentemente da atividade solar, os impactos do aquecimento global são contínuos no tempo e ocorrem ao longo de várias décadas. As frequências de Schumann são similares às frequências vistas nas eletroencefalografias do cérebro humano. Caso as frequências do cérebro humano sejam consequência das frequências de Schumann ao longo da evolução (uma hipótese que não está provada), uma variação nas frequências de Schumann poderia afetar frequências da mente humana, o que poderia estar relacionado à nossa percepção de tempo. Entretanto, as frequências de Schumann não estão mudando e, sim, a intensidade da radiação nessas frequências, e a intensidade da radiação não tem possíveis efeitos em relação à percepção de tempo. Por outro lado, existem estudos que sugerem a possibilidade de que tais variações rápidas na intensidade da radiação, ocasionadas pela atividade solar, possam ter impacto sobre a saúde humana", pondera.

Ele também conversou com Earle Williams, cientista do MIT (Massachusetts Institute of Technology) e uma das maiores autoridades do mundo na pesquisa das ressonâncias de Schumann. O pesquisador americano disse que: "As variações na intensidade da radiação de Schumann ocorrem devido a um aumento abrupto (poucas horas) na atividade solar, associado a explosões solares. Esse aumento de partículas solares, ao chegarem à Terra, alteram a intensidade das ressonâncias de Schumann por períodos curtos de tempo. Contudo, não existem evidências de que tais variações tenham aumentado ou diminuído as frequências de Schumann de forma contínua ao longo do tempo. Portanto não há evidências relacionadas à ressonância de Schumann que poderiam explicar a percepção de que o tempo está passando mais rápido".

Será que é possível?

Os ponteiros do relógio marcam uma quantidade de tempo que é igual para todos, mas o que é percebido é totalmente diferente. São experiências exclusivas. É o tempo contado versus o tempo vivido. Na opinião do cientista, o maior número de atividades que realizamos atualmente, de forma simultânea, é a causa desta percepção de que o tempo está passando mais rápido. Para ele, basta desligar o celular e ir para um local com pouca gente, sem televisão e sem internet, que teremos a percepção de que o tempo passa mais devagar.

Voltando para o teólogo, o cálculo entre dezesseis e dezoito horas de jornada foi uma espécie de tempo médio que os cientistas que estavam na reunião criaram entre o tempo do relógio e a intensidade das horas. "Alguns são mais imunes às energias que recebem da atmosfera. Depende da sensibilidade de cada um. Não podemos negar que a aceleração da nossa cultura, se intensificando cada vez mais com a tecnologia, faz a gente perder a noção do espaço e tempo", explica. Para mim, as 24 horas de hoje são diferentes de dez, cem, mil anos atrás.

> Quanto mais veloz é a experiência, menores ficam os espaços.

Antigamente, o trajeto entre o Rio de Janeiro e São Paulo era feito de carroça e poderia durar muito tempo; hoje você vai de avião em menos de cinquenta minutos. Desenvolvemos um tipo de civilização que acelerou todos os processos. De um carro que corra cada vez com mais velocidade a computadores cada vez mais rápidos para acelerar nosso acesso à internet. Tudo deve ser o mais rápido possível.

"A nossa cultura tomou o percurso do sol para marcar o tempo; outras culturas, a lua. Os judeus têm o seu modo de calcular os anos, quando começa, quando acaba; da mesma forma os japoneses e chineses. Portanto a categoria 'tempo' é em si variável. Antigamente, o tempo era medido pelas estações do ano e os camponeses, especialmente nos países nórdicos, se orientavam pelas características de cada estação. Eu mesmo vivi na Rússia, em julho, as famosas noites brancas. O dia ficava praticamente claro todo o tempo. O sol se punha por alguns minutos e já despontava de novo. O que é dia, o que é noite? Com os tempos modernos, ocorreu uma inusitada aceleração de todas as coisas e os dias estão sendo preenchidos com mil ocupações ou entretenimentos, de forma que o tempo do relógio pouco conta. O que conta é a intensidade do evento que estamos vivenciando. O tempo de dois enamorados, por mais longo que fisicamente se apresente, é sempre curto demais. O tempo, de poucos minutos, que o dentista precisa para extrair um nervo dental parece uma eternidade. Resumindo: o tempo do relógio é sempre igual, quando tem como referência o sol. É algo físico. Mas o tempo é também psicológico, portanto, não físico, mas subjetivo, e pode ser longo ou curto dependendo da intensidade com a qual vivemos o momento. Hoje, a sensação psicológica é que o tempo corre depressa demais, dando-nos a impressão de que não temos mais tempo para nada, ou não temos o tempo necessário para realizar nossos desejos ou projetos. Mas essa causa não é independente do sistema global do Universo e da Terra que envolve todos nós. Segundo minha compreensão, a ressonância Schumann quer dar conta deste fato: nossa percepção subjetiva do encurtamento do tempo está ligada às mudanças daquele cinturão de energias que circunda a Terra e que lhe garante certo tipo de estabilidade. Estabilidade esta que pode mudar, seja por influências cósmicas, seja pelas mudanças que nós introduzimos em nossa sociedade e que incidem sobre as energias que regulam a Terra. Aqui há um efeito reflexo e implicativo das duas realidades", expõe.

> Se nós mudamos, a Terra também muda.
> Se a Terra muda, nós igualmente mudamos.

"Cabe, entretanto, dizer: o tempo é um recurso escasso, não renovável e irrecuperável. Podemos acelerar ou encurtar o tempo, apenas não podemos detê-lo. Ele sempre passa, com maior ou menor velocidade. Precisamos nos reapropriar do tempo que nos pertence para podermos ser livres e dispor como queremos de nosso tempo. Hoje é um ato político dizer não ao consumo, não ao mercado, não ao entretenimento fútil. Assim, preservamos o tempo para plasmar nossa vida como desejamos", conclui o teólogo Leonardo Boff.

O que diz um cosmólogo?

Quando assisti à entrevista do cosmólogo Luiz Alberto Oliveira no documentário *Quanto tempo o tempo tem*, tive a certeza de que precisaria encontrá-lo pessoalmente. Eu nunca tinha conversado com um cosmólogo. Na verdade, eu nem sabia exatamente o que ele fazia, mas a forma como explicava sobre o assunto Tempo me deixou entusiasmada.

Um cosmólogo estuda a origem, a estrutura e a evolução do Universo como um todo. Ele explicou que o fluir universal que nos carrega do passado para o futuro é irrecorrível. Não há nada que possa se esquivar ou escapar dele. "Em qualquer imagem de mundo a figura do tempo estará embutida. Hoje, nós conhecemos o tempo como uma espécie de estrada ou uma linha que tem uma direção única diferente de tempos passados. A sociedade passou a operar não mais em cadência com os ciclos naturais das estações, do tempo cíclico, mas no tempo linear. A imagem que era um círculo passou a ser uma linha aberta. Nós passamos a medir distâncias de tempo. Por exemplo: vou te encontrar daqui a duas horas. Essa espacialização do tempo é uma característica da civilização ocidental e capitalista. Duas horas passou a ser um local em que eu tenho que estar. Outras culturas não funcionavam assim", explicou Luiz.

> A adoração pelo sol foi substituída pela adoração ao relógio.

Mesmo que alguns países possuam calendários próprios para a marcação de dias, as horas são comuns em qualquer civilização. Não era assim, mas passou a ser. Os relógios (de sol, água, areia, cera, entre outros), desenvolvidos durante muitos milênios, foram rompendo "o tempo próprio" de muitas regiões. "Isso se universalizou. Estamos encadeados a essa figura de tempo totalmente artificial. Nós convencionamos que o mundo é feito de meias horas. Não era assim que viviam nossos ancestrais. Hoje os ponteiros nos dizem em que posição na linha do tempo nós estamos. Uma etiqueta. O relógio geometriza o tempo. Dá coordenadas para definir nossa posição pessoal. Nossa sociedade usa o tempo para definir a realidade, mas ele não exprime a realidade", defende.

O que diz o astronauta

Dentro da estação espacial internacional, o astronauta Marcos Pontes ia do nascer ao pôr do sol em 45 minutos. A 28 mil quilômetros por hora ele viveu, no período em que ficou no espaço, dezesseis ciclos de dia e noite por dia. A experiência exclusiva dos astronautas revela que fora do nosso planeta, o que chamamos de tempo, é bem diferente. Os comportamentos que temos aqui não são regra fora dessa convenção artificial que criamos. "O nosso corpo desenvolveu habilidades para viver os dois ciclos de aproximadamente doze horas na Terra. Quando os ciclos começam a acelerar demais, o corpo fica confuso e você sente um cansaço extra, porque seu organismo não sabe exatamente o que fazer por não ter dado tempo de ele completar as funções que ele precisa fazer. Fecha o olho e de repente já é dia de novo", relatou. Ou seja, nosso conhecido relógio, fora da órbita terrestre, não vale para nada. Agora vamos imaginar que você trabalhe muito depois que o sol se põe e que não dá tempo de dormir o suficiente para seu corpo descansar o necessário e recomeçar no dia seguinte. Piscou e já começa outro dia. Já pensou como deve ficar seu cérebro com isso?

A ciência é filha da verdade e não da autoridade

Durante grande parte da história, a espécie humana acreditou que o planeta ocupava o centro do cosmos; depois de três séculos, cedeu o lugar central ao sol e compreendeu que o sistema solar se encontra apenas em uma pequena parte da sua galáxia, a Via Láctea. O sol é uma estrela — entre duzentas bilhões de outras estrelas que brilham na sua galáxia, que não é mais que uma entre milhares de outras que formam o Universo. Se essas constatações mudaram ao longo do tempo, outras ainda vão acontecer.

Na antiguidade, o homem estava conectado ao tempo da natureza e agora está conectado ao tempo das máquinas. O historiador Marcelo Lambert, que desde os nove anos de idade estuda as civilizações, me convence de que o tempo é uma grande magia. "Com o tempo percebi que a formação dos calendários foi apenas uma marcação para a agricultura, ritualística, necessária para marcar os acontecimentos. O tempo é determinado pela condição humana de cada um, inclusive pelo estado de espírito. O segredo é saber interpretar o tempo a favor da humanidade e não do capital", afirma.

O cosmólogo também concorda que nossa cognição tem janelas e interfaces que podem se acoplar com uma velocidade incrível e que passamos a interagir em um mundo em que conversamos com muitas máquinas. Isso, evidentemente, tem impacto sobre nossas percepções. "É uma troca de incrível enriquecimento, mas ao mesmo tempo ela drena a nossa energia. Conversamos com totens, geladeiras, aparelhos de celular, automóveis e para dar conta temos que potencializar a nossa própria cognição de modo a atender essa necessidade. As escolhas que eu faço em relação ao mesmo tempo é o que vai estabelecer meu estilo de vida", conclui o cosmólogo.

> Se não mudarmos nossas crenças em relação ao tempo, ele sempre vai parecer insuficiente, inimigo.

2
Cérebro

> *A maior descoberta da minha geração é que o ser humano pode alterar a sua vida mudando sua atitude mental.*
> William James

O Sol está para o planeta assim como o cérebro está para o ser humano. É o Sol que determina o que acontece na Terra e é o cérebro que impulsiona nossos pensamentos, emoções e ações. Fico impressionada, mas agora entendo como esse órgão, que pesa em torno de um quilo e meio e com cerca de 86 bilhões de neurônios, número atualizado recentemente por neurocientistas, foi subestimado nos últimos séculos. A força motora foi muito exigida para os trabalhos agrários e fabris, mas, desde o início do século XXI, nosso cérebro vem sendo obrigado a processar uma quantidade colossal de informações na atual revolução cognitiva. Estamos vivendo em um mundo digital, mas o nosso cérebro continua analógico. Ninguém nos avisou ou orientou que a partir de um determinado momento faríamos muitas coisas em um celular que seria a extensão de nosso corpo, que o consumo de imagens e dados sem fim poderia comprometer várias funções orgânicas, cognitivas e assim por diante. Então, sabendo disso, vamos pensar juntos sobre como seguiremos a partir daqui. Estamos ocupados demais para pensar como nosso corpo está reagindo a tanta coisa ao mesmo tempo, mas espero que ao final deste capítulo você acolha seu cérebro com escolhas mais inteligentes.

Está estressado(a)?

Sim, quem não está? Diversas vezes neguei que estava exausta ou estressada, sempre achando que me julgariam como fraca, histérica ou algo semelhante que, geralmente, as mulheres costumam ouvir com mais frequência. Mas, sinto dizer, que o estresse interfere nas percepções do tempo. "O tempo é o que tenho de vida. Como você vai usar seu tempo repercute no sistema nervoso e fisiológico. A revolução científica tem apenas quinhentos anos. É muito pouco evolutivamente se considerarmos os bilhões de anos para chegarmos até aqui. A vida moderna faz com que você mude seus hábitos. Com tantos estímulos sensoriais à nossa volta, acabamos sobrecarregando e desorganizando o cérebro e nos estressando mais", explica o neurofisiologista Fulvio Scorza, que estuda o cérebro humano há mais de 25 anos. E o estresse, medido pelo cortisol, um hormônio importante quando está em condições normais no organismo, também foi outro assunto pouco valorizado até agora.

O estresse nos prepara para situações de perigo. O problema é que hoje o organismo não sabe diferenciar o que é uma situação de risco imaginária ou real. E, assim, em situações no trânsito ou no trabalho, até em imagens de redes sociais que causam sentimentos negativos e de ameaça, por exemplo, nosso corpo vai interpretar que estamos em perigo e liberar mais cortisol. É por isso que a principal causa da síndrome de burnout é o cortisol hiperestimulado no ambiente profissional. Depois de um longo período com o cortisol elevado, uma série de complicações pode aparecer, como hipertensão arterial, depressão, atrofia muscular, problemas gastrointestinais, taquicardia, tonturas, além do aumento de chances de desenvolver diabetes, câncer, entre outras patologias, como já vimos. Não é à toa que o termo estresse é usado na engenharia. Quando uma ponte é construída, os engenheiros colocam um certo peso sobre ela e, quando a ponte não suporta mais, estressa e se rompe. "Se você trabalha muito e vive muitos momentos de estresse, o organismo vai apitar uma hora e, dependendo do seu órgão de choque, vai estourar. Úlcera, infarto, e pior, o estresse em excesso pode matar os neurônios. A depressão sem tratamento, por exemplo, faz muito mal para o cérebro", reforça o neurofisiologista.

Meu estimado leitor/a, ninguém nos ensinou, mas o estresse tem efeitos nocivos em quase todos os órgãos, tecidos e processos metabólicos. Ou seja, é mais um tabu para ser derrubado.

Seguindo esse raciocínio, como estamos vivendo mais que nossos antepassados e com muito mais demandas estressantes, o psiquiatra e pesquisador Orestes Forlenza alerta para a prevenção do Alzheimer, que é uma doença neurodegenerativa progressiva que se manifesta apresentando deterioração cognitiva, da memória de curto prazo e uma variedade de sintomas neuropsiquiátricos e de alterações comportamentais que se agravam ao longo do tempo: "Uma tarefa atrás da outra, sem tempo de assimilar o que aconteceu não gera memória. O estresse crônico está associado a hipocampos menores (hipocampo é a estrutura cerebral onde começa a doença de Alzheimer). Sobrecarregamos nossas agendas e emburrecemos", ensina.

O excesso de informação mais a fragmentação do tempo vivida atualmente pela tecnologia são terríveis para o cérebro, diz o médico. "Quem faz várias coisas ao mesmo tempo vai espanar, porque nem relação temporal consegue formar depois de tanta falta de pausa entre elas. Se deixar o cérebro rodar com uma frequência muito rápida, em uma atividade intensa o dia todo, com certeza ele vai esquentar", completa. Convivemos com muitas máquinas, que nos gabamos de substituir a cada ano, com mais memória e processamento mais rápido, porém, nosso cérebro ainda não pode ser substituído. Adiante falarei mais sobre as pausas.

Há luz no fim do túnel?

Sim, a partir de estímulos no meio externo e interno, a neuroplasticidade pode entrar em ação. O cérebro é influenciado pelo ambiente e tudo pode interferir nas diversas percepções (são variadas, podem ser modificadas e não são iguais para todo mundo).

"Se o ambiente melhora, a habilidade do tecido nervoso adulto em alterar sua anatomia adiciona novos neurônios (neurogênese)", explica Scorza, que mantém uma pesquisa com ratinhos de laboratório desde 1999. Ele constatou que os animais que brincam com bolinhas produzem em torno de 15 a 20% mais de novos neurônios. Os que fazem atividade física voluntária ou involuntariamente (naquelas rodinhas que todos nós já vimos alguma vez na vida) aumentam em torno de 40 a 50% a produção de novos neurônios no hipocampo, região do cérebro responsável por memória e aprendizado, ou seja, lazer e atividade física não me parecem tão dispensáveis.

> "Para cuidar melhor do cérebro e perceber melhor
> o tempo, entre outras coisas, precisamos
> basicamente de oxigênio e glicose."
> Dr. Orestes Forlenza

Estamos respirando mal, de forma ofegante, porque estamos sempre correndo. Estamos comendo muito mal, porque ingerimos cada vez mais rápido alimentos industrializados. "Descascamos menos e desembalamos mais. Vamos mais ao supermercado do que à feira", como disse a médica integrativa Renata Cortella. Já imaginou o trabalho cerebral para dar conta de tudo o que estamos querendo? É como um carro com combustível ruim.

Bons hábitos para prevenir o Alzheimer precisam começar o quanto antes, porque envelhecer sem doença é bem melhor do que envelhecer com alguma doença. Fugir do estresse é o melhor caminho para o cérebro e para todas as outras partes do corpo humano. Mas, para isso, teremos que aprender a escolher desde como vamos respirar até as brigas que vamos enfrentar.

> Para pensar e sentir melhor: respire conscientemente, durma a quantidade de horas de que seu corpo precisa, consuma alimentos nutritivos, faça algum tipo de exercício físico e permita seu lazer.

V
Escolhas

Eu prefiro ser essa metamorfose ambulante

Do que ter aquela velha opinião formada sobre tudo

Raul Seixas

1
Liberdade

A escolha é sempre nossa. O resultado também.
Alexandre Caldini Neto

Quando somos adolescentes, ficamos alucinados para ter nossa independência, sair da casa dos pais. Mas, quando vamos amadurecendo, entregamos nosso livre-arbítrio, habilidades e talento para uma empresa que, algumas vezes, "corta" nossas asas e sonhos. Grosso modo, vendemos nossas horas de vida por dinheiro e perdemos a liberdade. Veja, conheço muitas pessoas felizes que desenvolvem sua criatividade em ambientes saudáveis, sem onerar a própria saúde. Assim como conheço muitas pessoas que vivem para trabalhar e não o inverso. Infelizmente, esse parece ser um caminho sem volta para muitos, no entanto, digo que você pode mudar de opinião, profissão e tudo mais que desejar se não estiver satisfeito, se não estiver se sentindo bem. Sim, mudar de profissão é possível e saudável. Quantos jovens tiveram de seguir profissões que os pais impuseram? Ouço diariamente médicos e médicas dizendo que nunca quiseram vestir um jaleco branco, ou bancários infelizes porque "naquela época" os pais, com amor e preocupação com o futuro, diziam que era uma profissão que garantiria estabilidade. No passado, uma imposição; hoje, uma frustração. Ou seja, o talento, a vocação que poderia ter sido desenvolvida com criatividade foi colocada dentro de uma caixa. Por isso ouvimos tanto: "Vamos pensar fora da caixa". Então que tal mudar de caixa ou jogá-la fora?

Quando nos dedicamos integralmente a uma relação pessoal ou profissional sem que haja sentido, tudo vira um martírio. Como diz minha amiga e jornalista Daiana Garbin: "Quando estamos em ambientes ruins ou com pessoas tóxicas, a gente adoece ou enlouquece". Concordo que escolher ser livre ou mudar de ideia parece arriscado, ainda mais em um país que passa por crises recorrentes. Entretanto, como o francês Jean-Paul Sartre já filosofou, o ser humano é livre e a liberdade reside no ato da escolha. A questão é: escolhemos o tempo inteiro, da hora de acordar à hora de dormir; aliás, escolhemos também a que horas vamos dormir e a que horas precisamos acordar. O que vestir, o que comer, o que ler, em qual notícia nos aprofundarmos, em qual vaga estacionar, qual conteúdo estudar, qual pasta de dente, qual azeite. E assim por diante. Parece muito óbvio, mas, na hora de escolher algo que poderá causar consequências maiores em nossas vidas, a angústia se instala e, ao escolher não escolher, já estamos escolhendo ficar como e onde estamos. É por isso que a famosa afirmação do filósofo Sartre — "O ser humano está condenado a ser livre" — provoca insegurança para algumas pessoas. A ação é o que nos levará do início da vida até a morte e arcar com as consequências de nossas decisões é o que causa mais medo. Talvez seja por isso que, quando estamos estagnados em uma situação desconfortável, temos mais chances de adoecer. Como já diz o ditado, "água parada perde a pureza".

Contudo, pior do que não escolher e ficar estagnado é terceirizar a responsabilidade para outras pessoas. Elas vão escolher baseadas em valores, referências e preferências que podem ser totalmente diferentes das suas. E aí a decisão é acatar ou acordar.

Tem tempo para digerir a insatisfação? Se não tiver, as próximas páginas lhe serão bem úteis para escolher outros caminhos e atingir novos resultados.

Etiquetas do tempo

Etiquetamos tudo o tempo todo. A partir desses registros, vamos escolhendo e tomando decisões. O cérebro aproveita os atalhos de sobrevivência que nos conduziram até aqui e, se não mudarmos o carimbo, a etiqueta e os atalhos, as consequências serão sempre as mesmas. Em todos os casos, esse rótulo gera duas possibilidades: positivo ou negativo. Para todas as experiências, estamos classificando em "isso sim, isso não, isso é legal, isso não é, isso é bom, isso é ruim, tal pessoa é sensível, grosseira, confiável, bonita, feia" e assim por diante. "Somos o que escolhemos conforme nosso repertório (memória), e a partir dessas escolhas o cérebro constrói a própria realidade", afirma o especialista em Neurologia do Comportamento e da Cognição Fabiano Moulin, que adiciona que a construção da felicidade, por exemplo, também tem tudo a ver com o tempo. "Não tem como nadar nesse tema e sair ileso. Quando o sujeito sai da anestesia diária e procura outras formas de vivenciar e etiquetar algo, tem mais referências. Quem não tem base para discordar é manipulável", complementa. Ou seja, sem perceber, vão escolher por você. Quando falamos em escolhas, inevitavelmente vamos esbarrar em alguns conceitos/crenças. Moulin, que já atendeu milhares de pacientes em quinze anos de medicina, pode nos ajudar a organizar as ideias:

Passado e futuro: "Diariamente brincamos com o tempo. Quando pensamos no futuro, acionamos a memória. Como o tempo é uma construção do cérebro, ele usa a mesma circuitaria do passado e do futuro. É assim, você lembra de uma agenda (um passado organizado) para programar seu futuro. Isso precisa de muita emoção e memória."

Felicidade: do ponto de vista cerebral, é o encaixe do tempo. "É o encaixe do que estou fazendo com quem eu quero ser. Se eu crio minha própria agenda, eu escolho se o tempo vai passar mais rápido ou não." No Japão, o Ikigai, expressão que define "razão de viver", é a maneira de costurar mil e um assuntos que guiem a felicidade. Quem tem Ikigai tem o propósito de usar o tempo fazendo o que gosta e que provoque impacto positivo para todos. Isso ressoa positivamente. É um nível alto de satisfação da própria vida. Se somos o país com o maior número de ansiosos do mundo, o segundo com o maior número de depressivos e estressados, provavelmente estamos idealizando, buscando e construindo um conceito de felicidade equivocado, que é algo difícil ou distante para ser alcançado. Contudo, metas curtas terão mais chances de serem atingidas e as consequências levarão a um estado de felicidade.

Resiliência: é a capacidade do indivíduo de tocar a vida positivamente após adversidades. Importante lembrar que a palavra resiliência vem do latim e significa "voltar para cima" depois de um problema, entrar nos eixos, respeitando o próprio tempo de recuperação. Não é se deformar para se adaptar. "É quanto eu aguento apanhar e não cair no ciclo vicioso do adoecimento." Então, não é deixar para lá. Não significa não reagir. Mas pensar antes de agir para não corromper seus valores e se distanciar de seus objetivos (se já estiverem definidos) nem apelar para remédios que disfarcem ou mascarem os problemas, o que costumo chamar de "falsa resiliência". Se esforçar não é forçar.

Razão e emoção: "Para a maioria de nós, a razão cria uma narrativa para justificar uma ação (consciente), mas tomamos decisões pelo afeto, pelas emoções (inconsciente). A consciência é danada. A gente chama de autoengano. Ela é uma máquina de construir uma narrativa que faça algum sentido, mesmo que não faça. Ela é uma atriz coadjuvante que se coloca no papel principal, digna de Oscar, mas quem decide e quem constrói a realidade é o inconsciente. A emoção não depende do consciente para acontecer."

Como não podemos ver ou medir a razão e a emoção, vamos ilustrar de outra forma. Imagine uma garrafinha plástica de água. A tampinha é o nosso consciente e a garrafa toda é o inconsciente. Ou imagine um iceberg. A parte visível é o consciente e parte que está sob o mar é o inconsciente. Percebeu a diferença?

Depressão e ansiedade: "São doenças neurológicas. É o cérebro que adoece. Tão sério como um acidente vascular cerebral. Não se pede para uma pessoa com enfisema andar mais rápido, porque entendemos seu problema pulmonar, mas pedimos com toda ingenuidade e ignorância que alguém fique feliz na depressão ou calmo durante uma crise de pânico. Não dá! Diferenciar mente e cérebro é atrasar ou impedir a percepção da seriedade do quadro". Depressão e ansiedade não são frescuras. Se você ouvir que depressão é falta de tanque de roupa para lavar, fica a dica: ignore os ignorantes; que quem tem menos dinheiro não tem tempo de adoecer: ignore os ignorantes; que ansiedade é falta de controle: ignore os ignorantes. Se essas pessoas estivessem corretas, o número de farmácias no Rio de Janeiro, por exemplo, não teria aumentado 40% entre 2014 e 2019; e em Porto Alegre, não seria maior do que o número de cafeterias. Em São Paulo, você encontra mais farmácias do que livrarias nas esquinas. Como é na sua cidade?

Medicação × meditação: a emoção tem muito mais canais para influenciar a razão do que o inverso. Por que um adolescente tem dificuldade para tomar decisão? Por que a emoção está formada e a razão está se formando. O adulto que estiver mais em paz consegue obter, em média, cem vezes mais conexões da emoção para a razão. Já em quem vive sob estresse constante essa conexão não acontece. "A meditação melhora a capacidade de a razão e a consciência se unirem para melhorar a comunicação com a emoção/inconsciente. Para pessoas com quadros leves, a meditação auxilia o tratamento e reduz recaídas. O tratamento é sempre um pacote, nunca uma medida única. Se o nosso cérebro fosse simples o suficiente para que pudéssemos entendê-lo, nós seríamos simples demais para entendê-lo! Paradoxo que nos previne contra reducionismos e milagres!"

Não existe regra para todo mundo. Você já carregou muitas malas na rodoviária ou aeroporto? Quando alguém aparece para te ajudar, você recusa? O mesmo acontece quando algum remédio, momentaneamente, realmente é necessário. Considere que momentaneamente é diferente de para sempre.

Organização: "Quanto mais eu estiver organizado, quanto mais riqueza de conhecimentos e vivências, quanto mais ressoante minha rotina estiver com meus propósitos, quanto mais eu praticar o exercício de gratidão por aquilo que eu tenho, ou seja, quanto mais eu encaixar aquilo que eu quero ser com aquilo que eu sou, tenha certeza de que essa comunicação entre razão e emoção vai ser mais equilibrada. Um cérebro sobrecarregado não sabe dizer não. E aí é uma bola de neve. A ansiedade leva à desatenção, que leva ao sofrimento, à perda de engajamento e de motivação, porque a coisa não tem começo, meio e fim, e essa bola de neve vai destruindo a própria saúde cerebral."

Imagine um desktop com dezenas de janelas abertas nas quais você até se perde. Uma hora você vai ter de fechá-las, senão a máquina trava. Você provavelmente organiza os conteúdos em pastas e envia arquivos desnecessários para a lixeira, certo? Consegue perceber a mesma relação com tantas coisas ao mesmo tempo na sua rotina? Por isso o estresse é o excesso de presente, baseado na equivocada afirmação que fazer várias coisas ao mesmo tempo é bom. Está na hora de eliminar crenças que não combinam mais com o estilo de vida atual. Elas influenciam nossas ações, que determinam nossos resultados.

Bom tempo: "É o equilíbrio. Se sobrecarrego meu cérebro com expectativas e frustrações, vou tomar as piores decisões."

Já viu algum equilibrista andando de bicicleta em uma corda acima da cabeça de todos, lá no alto? Tem instantes que ele tende para um lado e instantes que ele tende para outro. Mas, do ponto de partida ao ponto de chegada, ele mantém o equilíbrio. Diariamente vamos precisar ajustar os pesos e intensidade das coisas, horários, compromissos, tempo de lazer, família, amizades, eliminar falsas obrigações e assim por diante. Se sua agenda sufoca você, e não existe nenhuma reserva de tempo, suas escolhas precisam ser acolhidas com mais carinho. Topa pensar no assunto?

Cardápio

Escolher, para mim, significa experimentar, como em um restaurante. Olho o cardápio, fico em dúvida diante de um monte de opções, posso até pedir opinião para o garçom, mas eu terei que escolher. Ou seja, para saber se algo é bom ou ruim, gostoso ou não, terei de passar pela experiência e criar ou não uma nova etiqueta na minha caixinha de preferências.

O exemplo do restaurante é apenas para ilustrar o que a vice-presidente do Integrated Coaching Institute (ICI), Fátima Abate, diz: "Só nos tornamos alguém a partir do momento que passamos pelas experiências da vida. Quando começamos a experimentar, reconhecemos limitações, avanços e evoluções. Aceitar tudo isso é ter *humildade*". Faz trinta anos que ela trabalha com o desenvolvimento humano e afirma que, hoje em dia, as pessoas não sabem nem por onde começar a faxina interna para escolher novos caminhos. "Eu preciso escolher novas direções sabendo que todas vão requerer mais de mim, vão exigir novas competências, habilidades, atualizações na forma de olhar e agir. As pessoas têm muito conhecimento, mas não sabem como organizar a própria vida. O que causa frustração é que muitas estão conhecendo um pouco de tudo e muito de nada. E não adianta fazer de conta que não está acontecendo nada, porque em algum momento a vida vai te chamar para olhar o que ficou para trás. É o caso de uma doença ou uma demissão. A vida dá um jeito, sempre construtivo, de chamar para o que realmente importa. Você já deu o que tinha que dar naquele ambiente, já aprendeu, criou o que tinha que fazer e a vida te chama para outra coisa. Ou seja, você está sendo convidada(o) a dar um passo além", completa. Por isso é importante identificar o tempo de cada lugar em que trabalharemos e pessoas com quem vamos conviver. Algumas pessoas devem passar por minutos, horas, semanas ou anos e tem locais em que ficaremos por meses, anos ou décadas. Nossas emoções começam a desandar quando insistimos em continuar em algum relacionamento que já acabou.

> Você está sentindo que há algo incomodando? É a vida te chamando para dar mais um passo, para mudar de nível, para um novo caminho.

O engenheiro que escolheu ser monge

Quando já tinha uma carreira bem-sucedida como engenheiro da computação, Davi Murbach lidava com estratégias, criava soluções, programas e possibilidades. Aos 21 anos, experimentou o sucesso profissional e, ao mesmo tempo, sensações incomuns àquela realidade. "Dezenas de vezes, eu me perguntava por que estava triste se tinha um emprego promissor, bom salário e uma namorada que me respeitava. Sentia um vazio dramático que só depois descobri que era falta de alma. Eu estava com saudade de mim. Da minha verdadeira versão", relata.

Ele deixou tudo no Brasil e viveu por sete anos recluso em um dos mais sagrados monastérios do mundo, o Kauai Aadheenam, que fica aos pés de um vulcão extinto em uma ilha da Índia. De volta ao Brasil, já Satyanatha ou Sat, como é conhecido, passou a ensinar meditação e hoje orienta outras pessoas em suas jornadas pessoais e profissionais. "Foi muito difícil, mas foi a melhor decisão que tomei. Lá aprendi que você pode ser feliz de dentro para fora, faça chuva ou faça sol, ao estar em integral contato consigo. Hoje quero despertar a luz que está em potencial dentro das pessoas. Acho que eu tenho o emprego mais bonito do mundo", comemora.

Sobre o tempo estar passando mais rápido, ele diz que nos falta sabedoria para lidar com tanta aceleração e necessidades criadas recentemente. "Ficamos sabendo de muita coisa nova que acontece o dia inteiro. Desejamos coisas e prazer o tempo todo. Desejo é movimento, mas, se não tem pausa entre uma coisa e outra, o prazer não existe. E de desejo em desejo a pessoa se frustra e enlouquece. Quando voltei do monastério, me chamou atenção o senso de falsas escolhas de muitas pessoas. Uma ilusão de variedades e oportunidades, mas, ao mesmo tempo, muita dificuldade para uma escolha saudável. Se não sei o que eu prefiro ou o que eu preciso de verdade, não me conheço e não saberei escolher bem. A gente só descobre quem a gente é no silêncio e temos direito de ser a luz que a gente nasceu pra ser," completa. Não tenha medo de ficar com você!

O não positivo e o não negativo

Passaremos pelo sim e pelo não para fazer qualquer escolha. Para não comprometer sua agenda, seu tempo, seu cérebro e sua vida, o NÃO terá de entrar em cena o tempo todo, de domingo a domingo. Teremos de renunciar a muitas coisas, pessoas e situações em detrimento de outras e, principalmente, dizer NÃO para nós mesmos. Nos últimos anos, aprendi que dizer não é como um músculo que precisa ser exercitado. No começo dói, provoca insegurança, chega até a dar preguiça, porém, depois que você perceber os benefícios do não sem culpa, vai insistir mais nessa habilidade. Confesso que dizer não para o que eu não gosto é muito mais fácil do que às coisas que eu quero, mas não terei tempo, como dizer não para a festinha de aniversário dos meus afilhados, um convite para palestrar e assim por diante. "Muitas vezes dizer não remete ao sentimento de desamor ou menosprezo. As pessoas sentem que negar algo a alguém significa falhar com essa pessoa ou não manifestar o quanto gosta dela. Na infância, muitos de nós levamos uma reprimenda através da palavra não (versalete) e, com isso, formou-se a memória emocional do desapontamento ou da não correspondência às expectativas. Poucos foram ensinados que o não (versalete) também é educativo, pois levamos o outro a buscar alternativas em si, buscar seus recursos de enfrentamento e superar os obstáculos. Dizer sim (versalete) sempre, em todas as situações, impede o outro de criar resiliência à frustração. Já dizer não (versalete) para algo que queremos nos leva ao dilema, já citado por Paulo Gaudêncio, que é a consciência moral e, assim, trabalharemos com duas opções sempre, segundo ele: satisfação e frustração. Satisfação imediata pode significar frustração que dura muito tempo. Ao passo que frustração imediata pode levar à satisfação duradoura", explica a psicóloga Rita Costa. Então teremos de escolher entre um e outro. Lembre-se: não para o outro é sim para você.

A boa notícia é que sempre é tempo de mudar de comportamento. Na vida, cada minuto importa, já que vivemos um tempo finito dentro de um que é infinito. É melhor tentar, pelo menos, exercitar o não, antes que seja tarde. O economista Ricardo Amorim constatou uma mudança de curva entre o sim e o não em determinada fase da própria vida. "A minha estratégia profissional por muito tempo foi que estaria dentro de qualquer coisa nova ou oportunidade diferente. Por quê? Porque isso me gerava aprendizado, contatos que poderiam produzir alguma coisa. Isso funcionou muito bem em uma época em que eu tinha menos oportunidades e mais tempo disponível, mas, com o passar do tempo, essa curva virou, porque eu passei a ser mais procurado, mais oportunidades surgiram e meu tempo ficou mais escasso. Agora, se eu disser sim para tudo e para todos, eu não faço absolutamente nada do que eu quero e preciso realmente fazer, só vou fazer coisas das agendas de outras pessoas. Hoje foco o que traz mais resultado e que gera mais aprendizado", afirma.

Pausas que podem salvar

A pausa já foi mencionada por dezenas de entrevistados até aqui, mas se estamos vivendo um modelo de vida cada vez mais *express* e automático, com mensagens por todos os lados que incentivam mais velocidade, reforço que a pausa pode te salvar. O mundo anda a passos acelerados e, na pausa, você pode adquirir consciência para identificar o que é importante, o que está sentindo e se há coerência no que está vivendo. Quando é intencional, abre espaço para a criatividade, para você promover uma mudança de atitude física ou mental e nela perceber sutilezas, além de ouvir o que precisa ser ouvido dentro, e não fora. Você pode descobrir qual é o melhor passo para ser dado em seguida.

Já tentou fazer uma viagem longa de carro sem abastecer? Melhor parar com planejamento, sabendo quais são os postos disponíveis no trajeto do que ter de parar involuntariamente quando a gasolina acabar. Na vida é a mesma coisa. O psiquiatra Orestes Forlenza diz que as pausas que não fazemos determinam o estresse generalizado que a maior parte da sociedade vive. "A sensação de encurtamento do tempo vem da falta de pausa entre uma atividade e outra. O cérebro não tem tempo para processar uma coisa e já vem outra. Não existe começo, meio e fim para um aprendizado efetivo. Você abre um e-mail, responde a uma mensagem pelo celular, conversa pessoalmente com outra pessoa, tudo ao mesmo tempo. Além disso, somos cobrados por desempenho em todas as áreas da vida."

Pequenos intervalos estratégicos vão te ajudar a olhar para as situações do tamanho que elas realmente são e evitar que o esgotamento se instale. Você vai sorrir mais, se preocupar e se incomodar menos com os imprevistos do dia a dia. Comece com um minuto entre uma atividade e outra. Em um dia de 24 horas, alguns minutos não me parecem o fim do mundo.

> Dar um tempo para o cérebro processar todas as informações que precisamos e escolhemos é essencial para a máquina do tempo não pifar.
> Cuidar da mente é cuidar da vida!

Pausas que antecedem as mudanças

A monja

Ela viveu uma juventude bem agitada, tentou suicídio, mas se reencontrou durante a pausa mais involuntária, quando foi presa na Suécia, traficando LSD. "Foi um tempo de observar o que eu estava fazendo, em que eu estava metida. De repente, eu paro e falo: espera um pouco, o que eu vou fazer aqui? Meditar. Eu posso escolher ser uma traficante de drogas ou posso escolher ir para o caminho de reflexão sobre a vida", relembrando o silêncio contínuo que a fez despertar.

A paulistana Monja Coen nasceu Cláudia Dias de Souza, casou aos catorze anos, teve uma filha, trabalhou como jornalista em diversas redações brasileiras, foi morar em Los Angeles, Califórnia, viveu intensamente os anos 1970 embalada com o pessoal do rock e depois se tornou a primeira mulher a ocupar a presidência da Federação das Seitas Budistas no Brasil. Corrigindo hábitos, ela mudou os próprios rumos e hoje é referência para quem deseja recomeçar. "Precisamos despertar. Despertar é estar consciente de você, das suas decisões e escolhas, não ser manipulado por nada nem por ninguém. É ter consciência de que o tempo da sua vida não tem volta. A Terra não dá uma paradinha e diz que antes era melhor. A Terra continua sua rotação. Então tudo o que fizemos nos coloca agora no presente, nesse instante em que continuamos a fazer escolhas. Quando uma coisa é muito agradável, que parece que passou voando, ou quando é desagradável, que parece que demora, somos nós que colocamos o nosso emocional, porque a quantidade de minutos é a mesma. É a mente humana que pode transformar minutos em horas e horas em segundos", ensinou-me com voz calma e um semblante acolhedor.

O filósofo

Mario Sergio Cortella precisou fazer uma grande pausa quando era criança. Aos seis anos de idade, ficou três meses acamado para tratar uma hepatite. Em Londrina, interior do Paraná, enquanto os meninos da rua brincavam, ele começou a ler gibis e livros infantis até a vizinhança começar a providenciar mais livros. "Eram leituras totalmente adultas. Aos seis anos, já era alfabetizado e isso deu um fundo intelectual que me acompanhou durante toda a carreira. Essa pausa foi marcante na minha trajetória. Hoje, pausas frequentes criam uma clareira no meio da floresta cotidiana. Para ser mais direto, as pausas durante deslocamentos em avião, por exemplo, são um oásis de tempo liberado que é extremamente agradável para mim. A parada consciente, deliberada, intencional é muito mais exitosa do que a parada acidental. Portanto algo que interrompe uma sequência que não desejava não é necessariamente bem-vinda. Dizer que o tempo é uma entidade externa a mim é uma visão infantil", ensina.

A servidão voluntária do tempo, como o filósofo me explicou, é danosa. "Os escravos do tempo, que não conseguem identificar ou usufruir do tempo livre, não querem pensar, não olham para a própria vida, e uma hora ela se vai", complementa. "Como aquela música diz com profundo arrependimento: 'Devia ter amado mais, sonhado mais, ter visto o sol nascer'."

A jornalista

Aos 42 anos, Juliana De Mari percebeu que o ciclo profissional que estava vivendo mostrava sinais de fim. Estava tudo em ordem com a família, com os dois filhos, satisfeita no trabalho, porém sentia uma certa inquietação. Estava "embatucada", como ela mesma diz. Ela era chefe de uma das revistas femininas mais lidas do Brasil e, nos últimos vinte anos, já tinha passado pelas transformações e lideranças de redações de outros títulos que envolviam economia, negócios e carreira da Editora Abril. Parou, se ouviu, também observou as mudanças sociais que já estavam ocorrendo e pensou como poderia se preparar para organizar uma nova etapa de vida. Tudo no tempo certo. "Sou intuitiva e observadora, respeito as mudanças e não brigo quando sinto que algo está chegando ao fim. Isso não me deixa mal. Então, se sinto que o que estou fazendo pode acabar, como vou me preparar? Esse tempo está nas minhas mãos. Posso ficar me lamentando ou posso me organizar. Tinha a consciência de já ter criado muito", relembra.

Ela tinha alguns dias de férias para tirar e viu naquela pausa uma oportunidade para fazer um curso de formação em *coaching* executivo, por recomendação de algumas pessoas. "Ainda tinha dúvidas se seguiria aquele caminho. Se me tornaria *coach*. Sou muito crítica, mas fui investigar aquela área nova, aberta para o aprendizado. Durante as aulas, fui percebendo consistência e coerência nas abordagens. Gosto do autoconhecimento reflexivo e descobri técnicas eficientes. Tudo é baseado na fala e em fatos, sem entrar em aspectos psicológicos. Depois de um tempo, identifiquei que eu teria de fazer perguntas para guiar a reflexão no outro. E eu, como jornalista, tinha feito perguntas a minha vida inteira! Sempre gostei de resolver problemas, e minha experiência, aliada àquela técnica, poderia ser útil para ajudar outras pessoas de forma objetiva. Naquele curso, eu entendi que a minha realização passava pelo outro e que eu não seria mais uma jornalista técnica", relembra. Juliana terminou as aulas sabendo que focaria mulheres, depois de identificar que elas podem até ter bastante apoio terapêutico e emocional, mas conseguem pouco apoio na prática profissional. "O *coaching* ajuda a descobrir qual o seu jeito de fazer as coisas. As mulheres estão inseridas em contextos que as paralisam muito. Seja por causa do tempo biológico, seja pelo tempo interno em conflito com o tempo dos filhos ou da família, um tempo que parece não ser propriedade delas. Uma mulher precisa dizer muitos nãos para decidir fazer as coisas do próprio jeito, porque precisa lidar com muitas convenções. Diferente dos homens que, culturalmente, não são tão cobrados", explica.

Logo depois, conforme ia organizando e validando as decisões que tomaria, em pouco tempo, realmente a empresa começou a desligar os diretores de redação. Como ela já sabia o que queria e se habilitou para fazer a mudança, despediu-se da rotina com horários, hábitos e responsabilidades regulares, sem sofrimento. "Estava preparada. Fiz um fechamento emocional e racional, compreendi o ciclo e me desliguei com muita gratidão da empresa. Foi uma mudança cautelosa, sem aventura. Fui capaz de juntar os pontos à medida que fui fazendo uma leitura diferente da minha história. Consegui, a tempo de não ser pega no contrapé do mercado", resgata.

A pausa permitiu que Juliana não negligenciasse o tempo interno. Ela compreendeu a mudança e apropriou-se novamente do tempo. Migrou do industrial para o artesanal, para o um a um. "Nos primeiros seis meses, eu me senti incomodada com aquela nova forma de trabalho. Sou uma pessoa acelerada e demorei para entender como era ser produtiva com uma rotina mais livre, para acostumar com o meu tempo. Vivi um conflito. Ou seja, mesmo sem dúvidas, sempre vai existir um tempo de adaptação e é preciso ter paciência com ele. Consegui fazer as pazes com o meu tempo", explica.

Atualmente, ela continua se comunicando, mas a partir de uma conversa com técnica para organizar as ideias e ajudar as mulheres a descobrirem quais atitudes elas podem tomar na prática para experimentarem as mudanças que querem ver acontecer. "Para um adulto, mudar não é tão simples e racional como as pessoas costumam pensar, não é só falar de performance. Quem quer mudar tem de se comprometer, tem de fazer algo diferente para experimentar a mudança, tem de investigar a inquietação. A princípio, podem ser pequenas experiências, mas com o tempo essas coisas vão te colocar no contexto que você procura. Somos de uma geração que experimentou pouco. Tivemos de fazer uma escolha profissional, se agarrar nela, sem explorar mais nossos interesses", observa.

Juliana destaca que temos vários interesses pessoais que podem se relacionar com a escolha principal, com a profissão, e que, nos tempos em que estamos vivendo, forçosamente as pessoas estão tendo de investigar com mais criatividade o que elas podem fazer com o que elas sabem fazer. "Há pouco tempo, podíamos construir uma carreira linear com o tempo, mas agora ninguém imagina mais ficar vinte anos fazendo a mesma coisa em uma mesma empresa. O mercado mudou, estão surgindo novas atividades. Com a tecnologia, existem novas possibilidades que antes não compreendíamos como profissão e hoje podemos imprimir mais nossa personalidade no trabalho. Mudança exige esforço, e mudar para evoluir faz parte da vida. Sempre confiei nos movimentos que fiz e que acabei atraindo. Se eu quero mudar, preciso experimentar coisas novas", pondera.

É necessário pouco tempo para o cérebro entender que pode funcionar de outro jeito. Pesquisas apontam que três meses, em média, já podem alterar determinados padrões. "Temos esse tempo interno a nosso favor. A gente briga com o tempo como se não pudesse controlar, se apropriar dele, mas a gente pode muito mais do que imagina. Mesmo tendo consciência da responsabilidade da minha autonomia, percebi que a mudança está muito mais nas minhas mãos do que eu achava. Não adianta só pensar, tem de agir. O que você pensa interfere no modo como faz, e o que você faz gera o que você sente. Se eu sei como eu quero me sentir, posso ver se o que estou pensando e fazendo combina comigo ou não. Rodei muito na ambição de fazer, agora estou na ambição de ser", conclui.

Doação

Tem gente que consegue se organizar, mesmo com filhos e trabalho, e ainda doa o próprio tempo. Tenho a sorte de conhecer duas mulheres incríveis e que coincidentemente tem dois meninos, uma menina e fazem trabalhos voluntários espetaculares. Fernanda Bianchini é fundadora da única companhia de Ballet de cegas do mundo. Em 1995, aos quinze anos, ela recebeu a missão de ensinar ballet para meninas cegas da Instituição Padre Chico, em São Paulo. Algo inédito, até então. Depois de muitas superações, dela e das alunas, hoje ela dedica 45 horas semanais à instituição que leva seu nome e atende junto com uma equipe de professores e fisioterapeutas mais de quatrocentos alunos e alunas. "A verdadeira inclusão é quando a gente se coloca no lugar do outro. Poder devolver a esperança para quem não é visto pela sociedade é um presente. Sei que sozinhos não somos nada", defende. Para dar conta de tudo, ela se prioriza. "Quando percebo que estou correndo para tomar banho ou para comer eu paro, respiro e penso: e se eu ficar doente? O que vai adiantar? É preciso organizar a vida e viver a essência de todos os momentos que são significativos."

Depois de aprender a ensinar os passos para quem não enxerga, rodar o mundo com espetáculos, participar de documentários e mesmo assim ainda sofrer preconceito de pessoas que esquecem que também podem ficar cegas, de sapatilhas rosa Fernanda semeia a esperança: "Uma coisa eu aprendi: os maiores ensinamentos surgem dos maiores desafios".

Já Renata Quintella começou seu voluntariado carregando um cartaz e uma bexiga colorida no meio de uma rua em São Paulo. As pessoas que passavam por ela demoravam para entender o que estava sendo oferecido. No cartaz estava escrito à mão: "O que eu posso fazer por você agora?" A ideia surgiu no final de 2012, depois de ela constatar que tinha trabalhado por duas naquele ano, mas que não tinha feito nada de relevante para deixar para os filhos. "A vontade de ajudar o próximo nasceu depois que senti que meu tempo estava passando muito rápido e que eu não estava neste planeta para fazer o que eu estava fazendo. Sempre me questionava: o que eu fiz para deixar para os meus filhos? Qual é o meu legado?"

Renata fazia direção artística de eventos grandiosos, mas naquele momento sentia falta de algo. Mesmo ouvindo de várias pessoas que estava louca em querer ajudar desconhecidos na rua, seguiu em frente. Ela começou com um simples e afetuoso abraço e, com o aumento da rede de voluntários, conseguiu uma perna mecânica para uma senhora e também apostilas usadas que permitiram um jovem carente a passar no vestibular de medicina. Hoje, Renata conseguiu aumentar sua rede de voluntários que integram o Instituto A Nossa Jornada, e já ajudaram cerca de dez mil pessoas diretamente em cem cidades brasileiras e em treze países. "Hoje eu conecto pessoas que precisam de ajuda com quem pode ajudar. Nessa jornada eu aprendi que, quanto mais você doa aquilo que tem, mais você tem aquilo que doa. Se eu posso doar meu tempo, que é a única coisa que temos mesmo, vou ter forças para conseguir dinheiro para pagar minhas contas, entende? Fazer um trabalho voluntário é estar certa da força maior que rege o Universo. Mas quem quer ser voluntário precisa ter disciplina."

> A gente é o que espalha e não o que junta.

Desacelerando

Na cidade que ostenta ter um dos piores trânsitos do mundo, de carros e de aviões (além de a ponte aérea Rio-São Paulo ser a quarta mais movimentada do mundo, em alguns dias e em certos horários, uma fila de aviões é formada no céu até desafogar o pátio do aeroporto de Congonhas na capital paulista para que consigam pousar) existe um movimento chamado "Desacelera SP", que procura desacelerar pessoas e negócios. Uma iniciativa ousada para uma cidade que incentiva o contrário, com milhares de lanchonetes de fast-food, entregas rápidas com motoboys voando pelas ruas e avenidas atendendo o que cobramos com pressa, serviços em horas, incubadoras de startups que querem faturar milhões em meses etc.

O movimento foi criado pelo casal Michelle e Eduardo, uma jornalista e um turismólogo. Eles estavam vivendo suas loucuras particulares até que se encontraram, se planejaram para deixar a vida estressada para seguirem juntos um caminho que fizesse mais sentido para os dois. "Conforme a gente foi encontrando lugares que tinham esse espírito *slow*, decidimos compartilhar as informações até surgir o site que originou o movimento", explica Michelle. Eles mapeiam lugares, iniciativas e projetos para as pessoas desacelerarem. "A gente entende que às vezes a velocidade é necessária, mas às vezes não é. E a nossa sociedade já naturalizou a rapidez em todos os momentos do dia. A gente corre o tempo todo e está superocupada como se fosse a coisa mais normal do mundo, mas não é", pondera.

Eduardo explica que liberdade, hoje, é consciência temporal. Quando você sabe que suas escolhas determinarão seu bem-estar, a história é outra. "Temos que reconhecer que a sociedade vai estabelecendo os contratos de tempo e que nós também contribuímos para essas convenções. Uma professora não chegar atrasada para a aula é um contrato de tempo, por exemplo, mas eu não responder uma mensagem de texto assim que eu a visualizo é uma decisão minha", defende. É o famoso limite. Se não impomos o nosso, alguém vai impor algum que nem sempre estará alinhado aos nossos princípios.

O que é essencial?

"Já é Natal de novo! Aonde vamos chegar?"

Quando era criança, o orientador espiritual Dalcides Biscalquin não entendia por que a avó falava da chegada do Natal em tom de reclamação e ele de animação. Dalcides tinha esperado o ano inteiro para aquela festa de final de ano. Ou seja, para ele o tempo tinha demorado, mas, para a vó, dona Efigênia, o tempo tinha voado. O tempo passou desde aquele primeiro encontro confuso com o tempo e Dalcides, que já foi padre, agora admite que o Natal tem chegado rápido. "Se eu sinto que o tempo está passando muito rápido, tenho a certeza de que a vida está valendo a pena, mas não deixo de me questionar sobre o que é essencial na minha vida para que o tempo não passe tão rápido", revela. É contraditório, mas ele descobriu que fazer escolhas sem se preocupar com os julgamentos alheios já é um caminho para identificar o que é prioridade. "O que é essencial para mim hoje? Eu preciso fazer essa pergunta frequentemente. Qual é meu projeto de vida? Pensar no que é essencial para a nossa existência toma tempo. A profundidade exige tempo, mas ninguém quer perder tempo com isso. Só que, se você não souber responder a essas perguntas, nunca saberá o que é essencial, o que é prioridade", detalha.

> "Nas pressas da vida, a gente acaba desrespeitando o tempo de cada coisa. A sabedoria vem com as experiências e elas acontecem com o passar do tempo."
> Dalcides Biscalquin

2
O espírito do tempo

*Todas as maneiras de abreviar o tempo
não o poupam.*
Madame de Stäel, 1814

Para seguir em frente, com saúde e satisfação, teremos que parar um pouco para pensar mais. O que está fora do nosso controle também precisa ser acolhido com amor e aceitação para um futuro com menos angústia. Padre Fábio de Melo diz que toda vez que a vida não acontece do jeito e no tempo que havíamos programado, o desassossego visita nosso coração. Ele explica que o inevitável movimento das horas, da dinâmica existencial, nos faz sofrer a demora das esperas, de nossa incapacidade de lidar com o entrelaçamento de passado, presente e futuro, e que é preciso sabedoria para não sermos estrangulados pelo peso deste encontro. "São três tempos disputando o espaço de um só coração. O passado, com sua facilidade de nos imputar culpas, tornando nossa vida um eterno tribunal; o presente, com suas pressões que nos cegam, com urgências que nos privam de saborear as escolhas; e o futuro, esse senhor misterioso, tecido de esperanças e incertezas." Realmente, muitas vezes nos esquecemos que os três tempos da gramática, o passado, o presente e o futuro escritos no papel, na prática só estão vivos no presente.

Se misturam em muitos casos e podem causar uma tremenda desorientação mental, sem organização. Lembre-se: não mudamos o fato, mas a interpretação dele, revivida com a conveniência de cada momento. "O passado pode ser uma fonte de dor, mágoas e frustrações ou uma fonte de aprendizados para um futuro motivador", como diz o médico Neil H. Negrelli Junior, presidente do Instituto Nacional de Excelência Humana (INEXH).

Zeitgeist

Para melhorar o que estamos vivendo precisamos reconhecer qual é o espírito do nosso tempo e naturalmente aceitar que muitas ideias que funcionavam no passado não servem mais. A coisa está tão rápida que o sujeito sai de algumas faculdades e já lida com um mundo totalmente diferente do que aprendeu nos livros. Os romanos já falavam sobre isso e, no século XIX, o conceito foi popularizado pela filosofia. O termo Zeitgeist (*Genius saeculi*, "o espírito guardião do século") ajudou a explicar os grandes movimentos da história. "A cada civilização, um grupo da sociedade vai ter uma certa imagem do mundo", explica o cosmólogo Luiz Alberto Oliveira. Zeitgeist é o conjunto de crenças, tradições, forças que agem sobre a sociedade ou macrotendências que pavimentam nossas atitudes, hábitos e pensamentos. O fim de muitas fronteiras de conhecimento, as redes sociais, a aceleração causada pelo desenvolvimento tecnológico, a economia compartilhada, obras coletivas como a Wikipédia, citando alguns exemplos, são partes que compõe o espírito do nosso tempo. "A internet borrou o tempo. Tudo fica misturado. Vivemos com milhares de abas abertas. Eu estou como todo mundo, não sabendo o que fazer com o meu tempo, mas consciente do que está acontecendo e usando a minha própria vida como laboratório", explica a futurista Lala Deheinzelin, especialista em novas economias. Ela defende que precisamos ter uma visão realista e compartilhada de presente e futuro ou viveremos batendo cabeça, repetindo comportamentos do passado. "Para um futuro desejável, vamos precisar aproximar gerações, unir vários tipos de talento para alcançar o mesmo propósito e não desperdiçar vários talentos iguais juntos, aprender a colocar valor no intangível, criando moedas diferentes como o emprego do tempo em serviços voluntários, por exemplo. Apertar a tecla refresh pode evitar muitas decepções e problemas", complementa. No Zeitgeist do século XXI, é obrigatório alinhar nossas expectativas. Devemos ressignificar algumas palavras do vocabulário como convergir, conectar e deletar, por exemplo. E lembrar que assim como estamos vivendo em rede, também dividimos o mesmo planeta. Minhas ações individuais podem impactar o todo.

Delusão

Por roubar nosso tempo, outra atitude que precisamos evitar é a delusão. Monja Coen explica que delusão é pior que a ilusão. Na ilusão eu já sei que a chance de algo estar acontecendo ou acontecer é impossível. Já a delusão é quando eu acredito em algo que já sei que é ilusão, que é falso. "Que fantasia é essa que estamos vivendo? É como ver um mágico tirando o coelho da cartola, sabendo que é um truque, e acreditar que um coelho saiu mesmo de um chapéu. Qual brinquedo nos deram para não nos questionarmos? A quem interessa? Smartphone, internet, joguinho de pegar docinho? Eu vejo pessoas jogando sem parar nos meios de transporte. Será que é importante passar o tempo ou viver o tempo? Eu não preciso participar de tudo, ouvir tudo, assistir a tudo. Nós nos distraímos tanto porque só queremos o que é agradável e fugimos do que é desagradável. O amadurecimento passa por dificuldades, dores e alegrias. Não adianta antecipar ou fugir do processo", complementa.

3
Atualização de identidade

A vida é breve e precisa de valor,
sentido e significado.
Ana Claudia Quintana Arantes

Nos últimos quinhentos anos passamos por uma série de revoluções. Então, não é difícil admitir que estamos vivendo só mais uma mudança. A diferença desta para as outras é que a velocidade não é a das pernas de um soldado grego, como já vimos no início do livro, mas a instantaneidade da internet. E vai continuar assim, a gente gostando ou não. Sabendo disso, proponho uma das atitudes mais preventivas que aprendi: a atualização de identidade.

Quando vamos dormir, nossas células estão diferentes de como acordamos. Imagine o que acontece com nossas emoções, ideias e planos? Atualizar a identidade é reconhecer suas habilidades hoje e não as de anos ou de décadas atrás. É revisar o que ainda é importante, seus valores, padrões de pensamento. Assim entenderemos que não podemos dar conta de algumas coisas que antes eram normais ou que dominávamos. Por exemplo, em muitos casos, aos quarenta anos, não vai dar para dormir pouco e produzir igual no dia seguinte, como acontecia aos vinte anos. Todos sabemos que mais cansados somos menos produtivos. Quem nasceu na década de 1980 como eu, vai entender que, atualmente, o tempo de recuperação de uma festa, para citar uma situação, é diferente. O custo é outro. Provavelmente na sua juventude você tinha algumas habilidades e agora você tem outras. Umas não existem mais, enquanto outras estão "tinindo". Não olhe apenas para o que perdeu, mas reconheça e se empodere do que aprendeu e conquistou.

Para atualizar a identidade, você terá que reconhecer seu pior inimigo e seu melhor amigo. Você vai encontrá-los observando-se no espelho. Se não tiver vontade de fazer isso hoje ou esta semana, tudo bem, mas pense a respeito. O autoconhecimento é vital para não repetirmos comportamentos equivocados. E, caríssimo leitor e leitora, pensar requer audácia e mudar requer coragem. Não use os resultados dos outros para medir sua performance. Eu te ajudo:

1. Quem é você hoje?
   Pode ser que a resposta não venha imediatamente. Não tem problema. Vivemos com tantos ruídos, distrações e tarefas que não é incomum esquecermos quem somos.
2. O que você já sabe que não dá conta agora, o que é penoso, mas que antes era prazeroso?
   Olhe para seus filtros mentais. Eles têm vieses negativos ou positivos? Levam você a pensar sempre de forma positiva e otimista ou só negativa e pessimista?
3. O que te deixa feliz hoje?
4. Na sua idade atual, como é dizer não? O que tem vivido te aproxima ou te afasta da armadilha da competência?
   Isso acontece quando vamos aceitando mais trabalho ou assumimos mais tarefas por entendermos que aquilo poderá trazer benefícios e não avaliamos se poderá nos prejudicar. Certa vez ouvi a seguinte frase de um profissional que estava

muito infeliz antes de pedir demissão: "Desse jeito não vou ficar rico. Desse jeito vou ficar doente".
5. Com quem você valida suas características?

Às vezes fica mais fácil validar a própria linha do tempo, juntando as experiências de vida, quando outra pessoa de confiança nos ajuda a lembrar, enxergar e a conectar o que fizemos.
6. Como está seu vocabulário?

Se as frases: "estou sem tempo", "estou cansado/a", "vivo correndo", "minha agenda está uma loucura" são recorrentes, pense se você não está glamourizando o estresse e se esquecendo de si. Tente se proteger do vírus da pressa.

Em tempo: se você não está satisfeito hoje porque continua em uma escolha feita ontem e quer mudar, vá devagar. Depois de já ter aceitado a necessidade de mudança, não precisa ter pressa. Porém, por favor, não pare! Olhe com os olhos de hoje as vantagens e desvantagens, os prós e contras e tudo aquilo que você já sabe que há muito tempo ignora. Para não ter medo da atualização de identidade, da mudança, você terá que saber que ao mesmo tempo em que temos um cenário de muita insegurança, que amedronta, com milhares de desempregados, existem outras centenas de milhares de vagas abertas por falta de mão de obra qualificada. Olhe para as possibilidades. Desde o início da humanidade a gente vai se adaptando e não adianta competir com a tecnologia. "Os postos de trabalho que devem ser reduzidos drasticamente são os que exigem força física, cálculos, memória e movimentos repetitivos, o que as máquinas podem fazer melhor do que nós. Já os trabalhos que precisam de criatividade e habilidades humanas como os fisioterapeutas, psicólogos e cuidadores, por exemplo, vão crescer muito. Outra mudança deve impactar a remuneração. As pessoas vão receber por produtividade e não por horas fixas de trabalho," explica a futurista Daniela Klaiman. Também serão mais valorizadas as *soft skills*, termo em inglês para definir habilidades comportamentais como ética, empatia, pensamento crítico, flexibilidade entre outras. Afinal, na maior parte das vezes os profissionais são admitidos pelas habilidades técnicas, mas dispensados pelos comportamentos.

Do micro ao macro, da situação inexpressiva ao problema mais denso, sempre dá para melhorar. Você fazendo outras escolhas ou não, o tempo passará da mesma forma. Aliás, a fonte da juventude, um dos maiores desejos da humanidade, pode ter sido mencionada inúmeras vezes em romances e histórias de ficção, mas é uma lenda. Então temos que ter mais responsabilidade pelo que nos acontece, porque o nosso tempo finito, dentro do tempo infinito, está aumentando. Viver por mais tempo é uma das conquistas sociais mais importantes da segunda metade do século XX. Lembrando que isso não é concedido a todos por dezenas de razões. Considero o envelhecimento uma bênção e faz parte do processo de aprendizado chamado vida. Então, como vamos querer viver esse tempo?

Minha sugestão é aprender com quem já viveu bastante e criou oportunidades em situações que poderiam ser problemas. Não existe idade para a transformação. Você vai ver que um "NÃO" pode ser apenas uma oportunidade.

> Estabeleça uma relação sincera com você.

Inspirações

O que uma senhora de 88 anos, pelo conceito que se tem da velhice em nossa sociedade, estaria fazendo em casa em um final de tarde? A mulher de cabelos bem cuidados, totalmente brancos, que encontrei, estava caminhando na esteira, em um ritmo moderado e constante. Ela se exercitava admirando a Lagoa Rodrigo de Freitas, no Rio de Janeiro. Minutos depois, quando começamos a conversar, eu estava ofegante, um pouco nervosa, claro. Já ela, elegante e tranquila, começou a falar em uma entrevista que, para minha felicidade, passou de uma hora. Durante esse tempo precioso, pude conhecer alguns detalhes da atriz com mais de setenta anos de vida pública, que começou a trabalhar aos quinze anos no rádio, depois foi para a televisão, teatro, cinema e hoje está na ativa com o mesmo entusiasmo de sempre. Fernanda Montenegro não cansou. "Eu me considero uma atriz contemporânea. Ainda tenho uma memória boa. Eu amo o que faço e dou conta da minha vocação, que sobreviveu a muitos momentos difíceis", revela.

Fernanda faz parte da memória afetiva de milhares de brasileiros. Da comédia mais simples ao texto mais complexo, já interpretou, representou, criou e recriou tantos personagens que este capítulo seria insuficiente para elencar tantos papéis importantes nas últimas décadas. E, mesmo com toda sua reputação e história de vida, o tempo que ela dedica ao trabalho continua o mesmo. "Na produção industrial, sempre falta tempo. Mas a minha cabeça é artesanal. Eu sou filha de operário, neta de imigrantes, portanto, venho de uma origem realista. Eu não tenho uma profissão, eu tenho um ofício e ofício requer tempo. Seja que tipo for: marceneiro, homem do campo, cirurgião, o tempo depende do que fizermos dele."

Ela ainda me revelou uma informação que deve mudar a percepção de quem acha que o sucesso pode eliminar alguns processos: "Vocação independe de sucesso. Eu nunca decorei os textos facilmente. Eu não sei decorar a palavra, eu tenho que decorar um sentido de dramaturgia, daquela frase e daquele período. Eu tenho que buscar primeiro a intenção, o sentido, e não apenas um grifo". A atriz que já atravessou quase um século está com a agenda cheia a perder de vista e recebe propostas com frequência. "A vida não é previsível. Cada dia é um presente na minha idade, inclusive é um presente eu ter consciência de que vivo um presente, porque eu poderia estar com Alzheimer", reconhece.

Mesmo trabalhando a todo vapor, ela tem consciência de que o tempo está no seu limite e pensa até quando vai poder assumir compromissos que demandam e exigem tempo. "Eu gosto da vida. Tenho uma constituição física herdada de alguns antepassados que me trazem inteira até onde estou, mas as reservas tendem a se extinguir. Eu deverei andar pior, ouvir pior e ver pior. Quanto mais você vive, mais você vai perdendo fisicamente. Você ganha uns dias enganosos. Muitos amigos já se foram e eu tenho que me preparar para a finitude", explica.

De acordo com o IBGE, a população com mais de sessenta anos, idade a partir da qual uma pessoa é considerada idosa, chega perto dos 31 milhões e representa quase 15% de toda a população do país. Enquanto muitas pessoas a partir dessa idade já pensariam em reduzir o ritmo ou parar de trabalhar, Fernanda compartilha o segredo da energia que a mantém com muita vontade de seguir em frente.

"Independente do sucesso ou insucesso, se você cumpre o seu ofício, quer dizer, no sentido de sua vocação, metade da sua vida está resolvida. Você só tem que dar conta da outra metade. Se você não cumpre a sua vocação, você tem que resolver toda a sua vida. E geralmente é com uma vontade, passados os anos, de desistir do fazer, de querer parar, porque está fazendo uma coisa que não está na sua natureza e apenas sobrevive, apenas existe. Passados os anos, isso pesa e ainda tem a mágoa do ofício não realizado", orienta a generosa atriz. Fernanda não é uma mulher do passado, definitivamente é uma mulher do presente.

O menino que desenhava

Independentemente da idade, a consciência do propósito de vida, de continuar fazendo o que se gosta, da satisfação pela rotina de trabalho para ensinar e provocar reflexões também é o que move o desenhista Mauricio de Sousa. Aos 83 anos, ele mantém a mente ativa, uma agenda cheia e uma bonita amizade com o tempo. "Tem época em que você sente que deu tempo, tem época que não deu tempo. De qualquer maneira, eu sempre acho que o tempo está à nossa disposição para ser usado e aproveitado. Se você pensar dessa maneira, e eu prefiro pensar assim, dá tempo de fazer tudo. Dá tempo de você sonhar e realizar. Tudo está nas nossas mãos, só depende do nosso entendimento na maneira de encarar o tempo. Ele não é um inimigo", explica.

Nossa conversa também foi longa. E, entre Mônica, Cebolinha, Horácio e tantos outros personagens que fizeram parte da minha infância, fui entendendo que aquele homem sorridente sempre se importou em eternizar o tempo com as mensagens por trás dos quadrinhos. "A história é o principal, não é o desenho. Todo mundo sabe desenhar, ou mal ou bem, mas a mensagem que fica na sua cabeça é o mais importante. O que fica de alguma maneira, a memorização, é o que dobra o tempo. Então você tem que fazer alguma coisa que fique, tem que domar o tempo nesse particular", explica. Como congelou o tempo em seus personagens, já que eles não envelhecem, quando o leitor amadurece e volta a ler suas historinhas, resgata um tempo que estava guardado em suas memórias, revivendo os sentimentos da época em que lia as revistinhas.

Precoce, ele começou a trabalhar aos seis anos de idade. Por incentivo dos pais, passou por diversas atividades, desde entregador de marmitas, atendente de loja e datilógrafo, como contou no livro *Mauricio, a história que não está no gibi*. Quando estava na escola, era chamado de "o menino que desenhava". Ele sabia que os desenhos chamavam a atenção, e tanto familiares como vizinhos aprovavam a "atividade extracurricular" do garoto. Aos catorze anos, ele já fazia algumas ilustrações no comércio e, aos dezenove, quando a família se mudou de Mogi das Cruzes para São Paulo, juntou os melhores trabalhos, deu o primeiro passo rumo ao sonho de ser desenhista profissional e prosseguiu para o jornal *Folha da Manhã*. Sem conhecer ninguém, apenas seguiu a intuição de oferecer seu talento ao jornal que o pai lia diariamente; chegou com a cara e a coragem e conseguiu ser recebido pelo responsável do setor de arte visual do jornal. Mas, logo de cara, ouviu um: "Desista, menino. Desenho não dá dinheiro nem futuro para ninguém. Vá fazer outra coisa na vida".

Mas o destino tratou de providenciar uma continuação para esse capítulo da vida do jovem. Desmotivado com o balde de água fria que acabara de levar, seguiu caminhando lentamente pela barulhenta redação do jornal. No caminho, um jornalista o parou e quis saber o que tinha acontecido para justificar aquela fisionomia triste. Depois de ouvir o relato do jovem, o jornalista ofereceu uma vaga de copidesque (profissional que corrige e melhora os textos dos outros) e sugeriu que ele fosse aprimorando seus desenhos; dessa forma, poderia aproveitar o fato de já estar ali dentro do jornal quando surgisse uma oportunidade. E assim, tempos depois, conquistou uma vaga como repórter policial. Em paralelo às investigações de crimes e perseguições policiais, foi conhecendo o mundo dos quadrinhos norte-americanos e prosseguiu adaptando suas técnicas. Foi quando criou o seu primeiro personagem, o cãozinho Bidu. Passados cinco anos, o jornal aceitou publicar a sua primeira historinha. Depois disso, pediu demissão da reportagem; ele sabia que não ganharia muito, já tinha filhos, mas era o que queria, estava determinado. Foi assim que, oficialmente, iniciou sua carreira como desenhista. De 1959 para cá foram centenas de personagens, ele vendeu mais de um bilhão de revistas e é considerado o maior formador de leitores do país.

> "O tempo que as crianças dedicam a uma história em quadrinhos é o tempo do amor. Sempre que algo lhe agrada, você quer ficar ali sentindo, adorando... E, com isso, elas aprendem."
> Mauricio de Sousa

Para o futuro, ele ainda quer escrever outro livro, se dedicar mais à educação das crianças, fazer mais desenhos animados... "Eu esqueci a aposentadoria, a paralisação... O tempo para a vocação, para a vontade de criar, não existe. Se estou fazendo o que sempre sonhei, por que parar? Eu penso na minha idade. O tempo vale muito mais hoje, porque tenho plena consciência da sua finitude. Sei que é mais curto do que já tive, mas eu tenho que aproveitar muito mais que antes", revela o pai da *Turma da Mônica*.

O milagre das mãos

O dia deveria ter 48 horas para o maestro João Carlos Martins. Aos 66 anos, ele assumiu a atual profissão e hoje encerra o dia com a sensação de que as vinte horas em que passa acordado não são suficientes para estudar e fazer tudo o que deseja. Quando o conheci, muitos anos atrás, tive a sensação de estar na frente de um mito tendo em vista sua fabulosa história de vida e fome de viver.

João, um dos maiores intérpretes de Bach do século xx, virou filme em 2017 e foi o tema do enredo vencedor da escola de samba Vai-Vai no Carnaval de São Paulo de 2011. Ele começou a sua trajetória aos sete anos, quando aprendeu a tocar piano; aos dezoito, chegava a treinar catorze horas por dia e iniciou uma meteórica carreira no exterior. Reconhecido como um dos principais pianistas do mundo, no auge de sua obsessão pelo instrumento, chegava a dedilhar 21 teclas em uma escala cromática por segundo. Segundo João, esse é o limite máximo que um ser humano consegue dedilhar no piano nesse mínimo espaço de tempo.

Tudo estava indo muito bem, com apresentações nos locais mais respeitados da música clássica internacional, com críticas cada vez mais elogiosas sobre seu desempenho, até o dia em que seu passatempo preferido em Nova York se transformou em pesadelo. Depois de se juntar aos jogadores de futebol da Portuguesa, seu time do coração, que estavam treinando no Central Park, caiu acidentalmente sobre uma pedra. O tombo provocou uma lesão bem no nervo ulnar do braço direito e três dedos da mão direita começaram a atrofiar. Foi forçado a interromper as atividades musicais por um ano e só depois de muita fisioterapia ele retornou à sua rotina de apresentações nos Estados Unidos. Desse episódio em diante, João tocou com uma força interior inabalável em mais de mil apresentações, sentindo dores nas mãos e também na alma, muitas vezes manchando de vermelho as teclas do piano com o sangue que saía das feridas que se formavam em sua pele enquanto tocava com dedeiras de aço.

Em busca do perfeccionismo, depois de anos de intensa prática musical, João desenvolveu a síndrome dos movimentos repetitivos e sofreu várias lesões inflamatórias nas mãos. Entre tantos altos e baixos, quando estava gravando uma obra de Bach na Bulgária sofreu um assalto e, depois de levar um golpe na cabeça com uma barra de ferro, todo o lado direito do seu corpo ficou comprometido. Sentia espasmos dolorosos e ficou oito meses em tratamento no maior centro de reprogramação cerebral para curar paralisias do mundo, o Miami Project, até fazer uma cirurgia para cortar o nervo da mão direita para que a dor não chegasse ao cérebro.

Tempos depois, abandonou os esforços de tocar piano com a mão direita e seguiu tocando apenas com a esquerda. Só que não demorou muito para desenvolver outra doença que contraía os tecidos da mão e, aos 64 anos, ele não poderia mais, de forma definitiva, tocar piano profissionalmente — esse foi o veredicto dos médicos. Entretanto, a mão do destino atuou de outra maneira, conforme contou. Durante um sonho, ele recebeu um recado de Eleazar de Carvalho, segundo João Carlos, o maior maestro da história do Brasil, dizendo que ele poderia recomeçar a vida estudando regência. Assim, no dia seguinte já estava tomando as primeiras lições e o horizonte voltava a se ampliar.

Feliz com sua nova profissão, além de seguir adiante, também deu um jeito de incluir a música na vida de quem não tem muitas oportunidades. Desde 2006, João Carlos é o diretor artístico da Fundação Bachiana, projeto pelo qual mais de dez mil crianças e jovens carentes já passaram. Como as mãos não conseguem virar as páginas das partituras, ele memoriza cada obra, cada nota, de cada instrumento. De pianista a maestro, João Carlos fez mais de vinte cirurgias e reconhece que, em muitas situações, passou dos limites físicos para se apresentar nos concertos, encurtando períodos de recuperação entre uma cirurgia e outra.

> "Todas as vezes em que eu não dei tempo ao tempo, tive problemas e não consegui alcançar os meus objetivos; todas as vezes em que eu dei tempo ao tempo, consegui alcançar todas as minhas metas."
> Maestro João Carlos Martins

Com todo esse repertório de vida, em janeiro de 2017, João Carlos teve uma embolia pulmonar e esteve muito perto da morte. "A única coisa que eu pensei foi: meu Deus, estou com 76 anos, tem tantas coisas com as quais sonho, tantas coisas que quero fazer... Eu não posso morrer de jeito nenhum. Tenho uma vida pela frente!", relembra.

Depois de uma semana se recuperando do susto, retomou sua agenda de concertos e pude vê-lo tocar Bach em uma casa de espetáculos em São Paulo. As limitações nas mãos fazem com que ele toque devagar, apenas com dois ou três dedos de cada mão, e o público retribuiu mais uma superação com aplausos duradouros e muita emoção. O que eu não sabia era que, cinquenta anos antes desse episódio, João Carlos teve o mesmo problema de saúde em Berlim; entretanto, nessa ocasião, chegou a ficar em coma por sessenta dias. Dessa época, ele se lembra de outro sonho: "Ficou na minha cabeça a imagem de uma carruagem preta com cavalos pretos; o cocheiro abria a porta para que eu entrasse. Eu falava que não poderia entrar, já que eu acreditava tanto no que eu poderia fazer no piano, no legado que eu poderia deixar, que eu não poderia morrer de jeito nenhum".

O maestro explica que a consciência da efemeridade do tempo aos 26 anos foi exatamente a mesma cinquenta anos depois, quando a lógica seria pensar que, quando mais jovem, você não saberia, por imaturidade, qual a razão da sua esperança para o futuro, enquanto, mais velho, a sensação seria de que tudo já teria sido realizado, de missão cumprida. "A trajetória da esperança aos 26 e aos 76 foi idêntica", confirma.

João escolheu continuar produzindo mesmo depois de 56 anos com performances musicais e, desde 2017, está orquestrando em cidades com até cinquenta mil habitantes, unindo a banda municipal local aos músicos de cordas das igrejas. O projeto Orquestrando o Brasil prevê mil cidades em cinco anos e a meta é fortalecer a imagem dos maestros locais de norte a sul do país. "Todo o meu passado é gratificante, mas tudo foi uma preparação para o que iniciei aos 77 anos, para o meu legado", explica. Além de muita disposição, o maestro ainda conta com o apoio da esposa que, nas palavras dele, dá confiança e sorte. "Quando você tem metas e projetos, a idade pouco importa, o tempo tem outra velocidade. Você vai fazendo e o entusiasmo leva você sempre adiante", aconselha a advogada Carmem Silvia Valio de Araújo Martins.

Além da obstinação, se depender da genética, o maestro ainda vai continuar tocando o coração de milhares de pessoas por muitos anos. O pai dele, seu José, iniciou a vida como escritor aos 86 anos e viveu até os 102. Deixou sete livros e entrou para o *Guinness Book* como o escritor que iniciou a carreira com a idade mais avançada. Sonhador e empreendedor, João Carlos registrou no livro *A saga das mãos*: "Em toda a minha vida, procurei olhar para um futuro que eu sempre almejei sem jamais esquecer um passado que faz parte da minha história, com seus erros e acertos". E como diz um provérbio japonês: "Apenas em meio à atividade desejarás viver cem anos".

Rugas e o estado de espírito

O tempo é aliado de quem se movimenta. Vemos isso o tempo todo. Se não vemos é porque estamos correndo. Cada idade tem os seus sinais e sua própria beleza. Os cabelos brancos, os vincos, as rugas, as marcas de expressão e a flacidez não deveriam assustar tanto, já que fazem parte da passagem do tempo — eles são a nossa história gravada na própria pele. Não é à toa que a área do rosto que começa a mostrar as primeiras linhas de expressão e onde o cabelo embranquece primeiro, geralmente em boa parte das pessoas, chama-se têmpora. A palavra vem do latim *tempus*. "É a região em que percebemos os primeiros sinais de envelhecimento", lembrou a médica dermatologista Thais Guerreiro. A passagem do tempo sempre foi uma de suas preocupações e para ela o conceito de beleza dentro de nossa cultura valoriza a fuga de uma pele madura. "Nós aprendemos a valorizar apenas o novo e que é feio ficar velho. As pessoas têm vergonha de envelhecer, de dizer a idade. Isso é sempre um tabu. Eu acho que é porque, conforme você fica mais velho, fica mais próximo da morte. São sinais de que você está ficando mais perto do fim", explica Thais.

De qualquer jeito, rugas sempre teremos, mas a quantidade nós é que determinamos. Dou como exemplo a Helô Pinheiro. Quando a entrevistei pessoalmente, pude entender as razões que mantém, mais de sessenta anos depois, as belas características que chamaram a atenção do maestro Tom Jobim e do poeta Vinicius de Moraes quando ela passava por eles na frente do antigo Bar Veloso, no Rio de Janeiro. Entre a composição e o lançamento da música, Helô foi passando dos dezessete para os dezenove anos. Em setembro de 1965, quando o mundo inteiro já estava cheio de graça, um texto do próprio Vinicius, publicado na revista *Manchete*, confirmava que ela era "a" garota de

Ipanema", e completou a revelação com outras percepções sobre a brevidade do tempo: "Para ela fizemos, com todo o respeito e mudo encantamento, o samba que a colocou nas manchetes do mundo inteiro e fez de nossa Ipanema uma palavra mágica para os ouvidos dos estrangeiros. Ela foi e é para nós o paradigma do broto carioca: a moça dourada, misto de flor e sereia, cheia de luz e de graça, mas cuja visão também é triste, pois carrega consigo, a caminho do mar, o sentimento da mocidade que passa, da beleza que não é nossa — é um dom da vida em seu lindo e melancólico fluir e refluir constante".[4]

Anos depois de a garota de Ipanema se tornar do mundo, apresentou vários programas de TV e se tornou uma linda senhora. "O título que ganhei de presente sempre foi forte e isso exigiu que eu sempre me cuidasse. Sou praticamente um mostruário da história e isso pesa. A música é eterna, eu não sou. Acredito que o segredo para envelhecer bem é viver com dedicação e alegria cada fase da vida, sendo generosa com quem está ao meu redor", revela.

Com esse depoimento, compreendi o que estava por trás daquele *savoir de vivre* (expressão muito usada pelos franceses que significa saber viver). Helô sempre foi cuidadosa com a família. Está casada com Fernando Pinheiro desde 1966, tem quatro filhos e quatro netas. Das filhas, Ticiane Pinheiro foi quem mais puxou a ela, física e emocionalmente. "Olho para minha mãe com muito orgulho, por tudo o que ela viveu e por continuar ativa, fazendo ginástica, se alimentando bem, inteligente, atualizada. Ela tem a cabeça muito boa. Se eu chegar aos setenta igual a ela, serei a mulher mais feliz do mundo. Levo a

---

4. Helô Pinheiro, *A eterna Garota de Ipanema*. São Paulo: Oficina do Livro, 2017.

vida com leveza e otimismo. Quando criança, interpretei no teatro o papel da Pollyana e costumo me espelhar nela, procurando ver sempre o lado bom das coisas", completa. Quando entrevistei mãe e filha (que têm 33 anos de diferença), ambas reconheceram que possuem uma genética generosa, mas também evidenciaram que só isso não basta. Elas refletem fora o que têm dentro: um tipo de beleza que não tem prazo de validade, mesmo relatando preocupações ou momentos difíceis, como todos vivem ou que ainda poderão viver.

Atualmente, muitos homens e mulheres não se sentem definidos pela idade cronológica que têm. Eles já sabem que se estiverem em movimento físico e mental, as datas na certidão de nascimento não são uma prisão. E se mantêm interessantes porque possuem interesses pelas pessoas e novos conhecimentos. É impossível estar infeliz e curioso ao mesmo tempo.

4
Dá um tempo

> *Não precisamos de mais tempo,*
> *mas de um tempo que seja nosso.*
> Mia Couto

Dá um tempo para você pensar. Dá um tempo para você viver de verdade e não apenas sobreviver. Só admitindo as mudanças aceitaremos dar um tempo para atuar no mundo sem nos afetarmos por ele. Os tempos mudaram, trabalhamos com máquinas ultravelozes, mas continuamos humanos. Queremos muito, mas precisamos de pouco. Podemos tudo, mas sem saúde não podemos fazer nada. É por isso que o intervalo entre a respiração e a expiração é a melhor definição de tempo para mim. Cada inspiração é um sopro de vida e cada expiração é um sopro de morte. Podemos planejar o que quisermos, mas, de tempo em tempo, precisaremos dar tempo ao tempo para atualizarmos nosso ritmo de vida à velocidade que realmente nos faz sentido. Afinal, não ficamos como estamos de um dia para o outro.

Dá um tempo para você não fazer nada. Por minutos, horas, até parece irônico, mas também nas férias e dias de folga. Sim, você pode. Entendo que as frases "tempo é dinheiro" e "cabeça vazia é oficina do diabo" nos confundem e nos enchem de culpa quando não estamos produzindo ou fazendo nada. A religião e a indústria contribuíram muito para essa ideia nos últimos séculos. A maior parte dos sinônimos de ócio é negativa ou depreciativa: vagabundagem, negligência, vadiagem, preguiça, para citar alguns. Até o período da sociedade industrial, o ócio era um tempo de criação artística. Como o sociólogo Domenico De Masi trouxe no livro *Uma simples revolução,* a Revolução Industrial inseriu a ideia de que ao operário é lícito descansar apenas o necessário para recuperar as forças físicas esgotadas pelo trabalho. "A ideia de que o pobre possa praticar o ócio sempre aborreceu os ricos", disse Bertrand Russel, mencionado por De Masi. Ele foi um dos autores mais famosos mundialmente e tentou devolver a dignidade ao ócio. "O ócio é uma arte. É vital, complexo e fecundo. O empregador não compra mais a força bruta, mas exige pensamento e criatividade. Em um mercado industrial que consome ideias com a mesma velocidade com que engolia produtos avidamente, pressupõe-se que a capacidade criativa só pode ser incrementada por meio da reavaliação do ócio que permita regenerar a mente dos criativos, assim como a inércia regenerava o corpo dos operários", escreveu o italiano. Temos ainda um agravante: o celular ajuda a matar o ócio. Mas, como está sob o nosso controle, podemos reduzir o consumo desse chiclete. Nossos ancestrais sobreviveram sem ele e o *dolce far niente* dos italianos permite que a alma diga o rumo que deseja tomar nos minutos seguintes para preencher o mundo interior. Durante minha entrevista com o filósofo Mario Sergio Cortella, entendi que planejamento e organização são amigas do ócio, sabia? "Eu não posso ter uma ocupação que sufoca o meu cotidiano. Se eu não souber o que é prioridade, não conseguirei ter uma reserva de tempo", explicou. Concordo: só se organizando e não procrastinando para sobrar tempo. Se você conseguir fazer o que tem que ser feito hoje, o amanhã poderá estar livre.

> Quem mata o tempo mata a si mesmo.

Dá um tempo para se libertar. Se você acha que é escrava ou escravo do tempo, não se esqueça que sua agenda é feita por você. O não precisa sair de sua boca. "O tempo é fruto das condições que você determina. Viver de forma afobada, prisioneiro do tempo, causa muito sofrimento", enfatiza Cortella. A realização interna precisa retomar o lugar das conquistas externas.

Dá um tempo para recuperar seu protagonismo. Acessos infinitos nos confundem e tomam muito tempo. Vivemos em rede, mas estamos sozinhos. Neste momento de atualização social, felizes aqueles que buscam constantemente o conhecimento porque a educação liberta, e tristes os que ficam buscando reconhecimento, porque perdem muito tempo querendo a aprovação dos outros — e no mundo existem mais de sete bilhões de outros. Quanto mais funcionarmos no piloto automático, mais a nossa vida e decisões estarão nas mãos de terceiros. O professor Leandro Karnal afirma que a estratégia para os novos tempos é recuperar o protagonismo sobre o tempo, e, principalmente, da própria vida. "As pessoas estão acompanhando a função dos juízes, e julgar os outros, os políticos e a mídia, por exemplo, disfarça a irrelevância cada vez maior do indivíduo. Independentemente da definição de tempo, ele é o único bem não recuperável", enfatiza. Portanto, não pareça feliz nas redes, seja feliz na vida real, assumindo seu lugar no palco e não na plateia. Enquanto julgo o outro, não percebo o que está acontecendo comigo. Não faça da rede social uma vida antissocial. Não busque no digital a atenção que não tem na vida real. Busque na sua memória onde foi que você se perdeu.

Dá um tempo para viver o seu sonho. Não trate seu sonho como um passatempo. O plano B pode ser o A. Eleja pessoas de confiança que precisam saber sobre a sua reforma íntima e a transformação que está vivendo ou pensando em viver. Toda obra faz bagunça, levanta poeira, pode interditar algumas áreas, mas depois o resultado é sempre melhor. Leia sua própria biografia, relembre os desafios superados. Temos nossas histórias. Elas são reais e precisam ser valorizadas. Honre os caminhos que te trouxeram até aqui, mas tenha consciência que eles podem não ser os caminhos que te levarão a partir daqui.

> Está na hora de assumir que não dá para dar conta de tudo. E tudo bem.

Dá um tempo para assumir sua vulnerabilidade. Abrace suas imperfeições. É preciso reconhecer limitações e ter coragem para pedir ajuda. Aliás, é forte quem assume que não consegue dar conta de tudo. Se precisar mudar de algum cenário, religião, emprego ou relacionamento, a curiosidade será uma amiga leal. Mudanças geram ansiedade, mas a inércia causa desapontamento. Hoje eu prefiro viver outras experiências a ficar em uma situação que sinto não estar boa. Sim, alguns empregos vão acabar, mas outros serão criados, como já aconteceu com os cocheiros, alfaiates, balconistas de videolocadoras, cortadores de gelo etc.

Dá um tempo para respirar. Respirar é uma arte e o melhor remédio para quase tudo. É de graça e não tem nenhuma contraindicação. Além do tempo, a respiração é um presente que carregamos. Mudando a respiração você muda seu estado interno para o bem ou para o mal. Ela é naturalmente meditativa e quem respira melhor pensa melhor. Dividimos o dia em horas e tarefas, mas em todas elas estamos com nossos pensamentos. Como provocou o Dr. Danny Penman no livro *A arte de respirar*: respiramos 22 mil vezes por dia, e de quantas dessas respirações temos consciência?

> Não se culpe por ver pessoas meditando por horas enquanto você não consegue. Muitas vezes eu também não consigo.

Dá um tempo para compreender que o tempo não está passando mais rápido. Nós é que estamos caminhando mais rápido por ele. Experimente caminhar por uma rua e agora faça o mesmo trajeto na garupa de uma moto a 100 km/h, por exemplo. Em qual situação você conseguiu observar os detalhes do percurso? Na prática, insistimos em colocar mais coisas dentro das mesmas 24 horas ou fazemos uma agenda pensando que ela terá 36 horas.

Não pense que gestão de tempo é só organizar a caixa de e--mails ou deixar bilhetes por aí. Antes de assumir mais um compromisso ou atividade, exclua alguma coisa. Dica de ouro: fuja dos desocupados e bajuladores — eles não fazem ideia do tempo que tiram de nós.

Dá um tempo para um momento de pausa todos os dias. Entenda, de verdade, o que é urgente e o que é prioridade. As respostas virão em um momento de pausa (espero que voluntária). José Pereira, orientador espiritual há mais de cinquenta anos, explica que, se cada pessoa fizesse uma pausa constante, o tempo não seria encarado de forma equivocada e às vezes sofrida. "Até os 35 anos, a pessoa vive uma agenda repleta de festas e eventos. Aceita e quer experimentar tudo. Depois, dos 35 aos 55 anos, a família entra em jogo e a pessoa sente que não tem tempo para nada, porque precisa dividir o tempo com as necessidades de casa, filhos e outros parentes que podem demandar mais atenção e cuidados. Especialmente dos 55 anos em diante, entra a fase de questionamentos e cobranças íntimas. Por que eu não fiz isso antes? Por que não parei para pensar naquele momento? Nesses casos, o arrependimento pode levar a uma pausa obrigatória, mas com gosto de ressentimento. Ou seja, a pausa constante e o silêncio para escutar e pensar são fundamentais para entender cada situação e não ser atropelada por ela", orienta. Quando tudo parece estar fora do eixo, é hora de parar e organizar o que fica e o que vai. A recompensa da pausa será o seu bem-estar.

Dá um tempo para restaurar a calma. Com alma. Com empatia e compaixão pelos próprios limites e respeitando suas características. Sem impulsividade e autoagressões. Durma. Pode ser que no dia seguinte o que motivou sua raiva não faça mais sentido. Será difícil encontrar alguém que dorme pouco e que não é pavio curto ou agressivo com palavras e atitudes. Se a maior parte dos estudos mostra que, ao longo dos anos, os brasileiros estão tendo mais distúrbios do sono, nossa sociedade está à flor da pele. Se já sabemos que quem manda na percepção de como as coisas são, inclusive o tempo, é a mente, podemos respirar e nos acalmar para ganharmos uma compreensão menos ansiosa e mais tolerante. Quando nos acalmamos e desaceleramos, ficamos menos reativos e raivosos com o que se passa conosco.

> Se não temos um sistema nervoso em ordem, possivelmente teremos uma vida em desordem.

Dá um tempo para se cuidar. O autocuidado é aquilo que só você pode fazer por você. Começa quando você reserva tempo para seus cuidados de higiene pessoal até para os mais sofisticados, quando precisamos da ajuda de um ser humano com habilidades diferentes das nossas, como um psicólogo, por exemplo, para nos ajudar a organizar as ideias. Os exercícios também vão melhorar a circulação das células de todo o corpo. Não parece que quanto mais o mundo acelera mais ficamos sedentários? Descansar e dormir também faz parte do pacote de autocuidado e sua cognição será restaurada. Cuide de sua pele, o maior órgão humano, com filtro solar. "Desde o dia que nascemos já estamos envelhecendo", como diz a dermatologista Carla Góes. Quando você se cuida o amor-próprio é colocado em prática e aí começa um ciclo virtuoso de autoconhecimento e autovalorização. Você se sente mais forte e seguro para reconhecer os próprios limites e tomar decisões mais coerentes.

Dá um tempo para perceber que o presente é um presente. Em 2012, quando o Instagram tinha acabado de se popularizar no Brasil, comecei a etiquetar alguns momentos com a hashtag *#presentepresente*. Tive um daqueles momentos maravilhosos de "eureca" quando me dei conta de que podemos fazer do presente um presente, a partir do momento em que identificamos as oportunidades embutidas em cada situação, em cada instante, e não passamos adiante como um presente que ganhamos (eu sei que é feio fazer isso, mas não é prática incomum...), quando deixamos que alguém alugue nosso tempo com bobagens e assim por diante. Mesmo quando encontrar o primeiro cabelo branco ou perceber as primeiras linhas de expressão em volta dos olhos, até porque, se sabemos que para viver mais passaremos pelo envelhecimento, por que é tão difícil valorizar o presente? Para mim, pior que envelhecer é morrer. Como diz o empresário e palestrante motivacional Geraldo Rufino: "Morremos uma vez, mas podemos recomeçar todos os dias".

Todo santo dia ganhamos 24 horas. Eu, você e o Bill Gates. Alguns aproveitam e fazem coisas extraordinárias, especialmente em comunidade, já outros trocam essas horas por dinheiro em um emprego que não gostam ou em que não são valorizados, vivem relacionamentos infelizes e ignoram esse presente precioso.

Dá um tempo para pensar na morte. A maioria das pessoas não quer falar sobre ela, mesmo sabendo que a morte faz parte da vida. Ana Claudia Quintana Arantes, uma das principais referências sobre cuidados paliativos no país, diz que "a morte é um dia que vale a pena viver". Esse também é o título do livro em que ela provoca o nosso pensar sobre um fim com vida. Ela diz que o que deveria assustar não é a morte em si, mas a possibilidade de chegarmos ao fim da vida sem aproveitá-la, de não usarmos nosso tempo da maneira que gostaríamos: "O mais inquietante é que todos nós passaremos por ela ou acompanharemos a morte de quem amamos", diz.

De acordo com a Organização Mundial da Saúde, cuidados paliativos consistem na assistência promovida por uma equipe multidisciplinar para a melhoria da qualidade de vida do paciente e de seus familiares diante de uma doença que ameaça a vida por meio de prevenção, do alívio do sofrimento, tratamento de dor e demais sintomas físicos, sociais, psicológicos e espirituais. Ou seja, quando a medicina cruza os braços, ela trata a dor do paciente de maneira ampla e amorosa. Conforme Ana Claudia conta no livro, sua vocação foi se desenhando a partir do seu inconformismo ainda na faculdade de medicina, quando outros médicos se negavam a dar um analgésico para um paciente em estado terminal. Depois disso, ela descobriu e assumiu publicamente que gostava de cuidar de pessoas que estão prestes a morrer. "Podemos ver as doenças se repetirem no nosso dia a dia como profissionais da saúde, mas o sofrimento nunca se repete. Cada dor é única. Os médicos profetizam: não há nada mais a fazer. Mas eu descobri que isso não é verdade. Pode não haver tratamentos disponíveis para a doença, mas há muito mais a fazer pela pessoa que tem a doença. O sofrimento que paira sobre essa etapa da vida humana clama por cuidados." Ela menciona que o sofrimento começa a partir da tomada de consciência sobre a própria mortalidade com o diagnóstico de uma doença grave e incurável, e que essa percepção da morte também traz a consciência de que o tempo por aqui não voltará. "A morte anunciada traz a possibilidade de um encontro veloz com o sentido da vida, mas traz também a angústia de talvez não ter tempo suficiente para a tal experiência de descobrir esse sentido." Para Ana Claudia, quando adoecemos, a percepção que temos do tempo é muito diferente da de quando estamos saudáveis. Como trabalha, desde 1996, com pessoas que já esgotaram todas as possibilidades, ela percebe a importância do tempo na vida delas. "O que separa o nascimento da morte é o tempo. Vida é o que fazemos dentro desse tempo, é a nossa experiência. Quando passamos a vida esperando pelo fim do dia, pelo fim de semana, pelas férias, pelo fim do ano, pela aposentadoria, estamos torcendo para que o dia da nossa morte se aproxime mais rápido. O tempo corre em ritmo constante. Vida acontece todo dia, e poucas pessoas parecem se dar conta disso", reforça.

A cada hora estamos um pouco mais perto da morte. Dizem que ela é uma sombra que sempre acompanha o corpo. O filósofo romano Sêneca, contemporâneo do nascimento do cristianismo, afirmou que a morte simplesmente completa o processo de morrer, já que estávamos há muito tempo no caminho.

"A maioria das pessoas teme a morte por não ter feito nada na vida."
Peter Ustinov

Fim ou continuidade?

No livro *A morte na visão do espiritismo*, Alexandre Caldini Neto explica que a *morte*, para alguns, traz uma sensação de fim, enquanto *passagem*, termo mais usado pelos espíritas, dá uma noção de continuidade. "O espiritismo não entende a morte como o fim da vida. É o fim apenas de uma experiência com determinado corpo. Nesse sentido, seria mesmo mais adequado dizer passagem, desse modo de viver para outro, sem corpo físico." Os espíritas acreditam que somos todos seres espirituais. E o que são espíritos? Ele observa que espírito é nossa essência, inteligência, discernimento. "Cada espírito é único e percorre um caminho evolutivo. A cada vivência ganhamos experiências e conhecimento. Estamos sempre nos aprimorando intelectual e moralmente. Se sofremos, é porque ainda temos que melhorar aquele comportamento que, no passado, deixou a desejar." A crença na sobrevivência do espírito depois da morte do corpo físico é muito antiga. Há 2.400 anos, Sócrates e Platão já falavam dos cuidados que devemos ter com nossa alma, que é imortal. Comunicações entre os vivos e os mortos sempre existiram, em todas as partes, povos e religiões. Na mesma época de Sócrates e Platão, já se consultavam as pitonisas e os oráculos, que faziam a ponte entre o mundo dos encarnados e o dos espíritos. O que os gregos chamavam de oráculo é o que o espiritismo chama de médium. Alguns aspectos-chave do espiritismo, como a crença na vida do espírito, independentemente do corpo físico, não são criações dessa religião. O mesmo pode ser dito da reencarnação. Allan Kardec — pseudônimo do professor e pesquisador francês Hippolyte Léon Denizard Rivail — foi quem coletou as informações, organizou o conhecimento sobre o mundo dos espíritos e codificou sua relação com os encarnados, há pouco mais de 150 anos.

O livre-arbítrio é um conceito muito importante no espiritismo. Em que nada passa sem uma consequência. É a causa e efeito, com responsabilidade e sem culpa. "A culpa é pesada e punitiva, já a responsabilidade é serena e equilibrada. Traz a noção de maturidade. O espiritismo admite que erramos e erraremos por um bom tempo. Se não aprendermos com o erro e não modificarmos nosso modo de agir, sofreremos. A dor é um alarme, um alerta para que possamos nos cuidar", finaliza Caldini.

Moral da história

Desde quando ganhamos nosso primeiro relógio e aprendemos a ler os ponteiros do tempo, nos ensinam, conscientemente ou não, a fazer alguma coisa com essas horas. Poucos sabem sobre orientações temporais. Então, agora eu pergunto: qual vida você quer viver? Uma vida corrida e constantemente estressada? Por quanto tempo? Uma vida em que a farmácia é um atalho para a automedicação e com isso se esconder das próprias dores? Uma vida cronometrada? Uma vida esperando as férias? Ou uma vida que faça sentido?

Lembre-se de que somos nós que interpretamos o que nos acontece, nós damos o significado a tudo. Pense em seu próprio tempo antes que seja tarde demais. Antes que seu cérebro, essa máquina do tempo maravilhosa que governa todo nosso corpo, espane. Pense em seu próprio tempo antes que o casamento acabe, os filhos busquem as drogas, as doenças cheguem, as insatisfações e o distanciamento do propósito criem raízes e frustrações profundas. Não há nada de errado com o tempo. Você só está onde você se coloca. O lado bom dos tempos difíceis é que podemos aprender novas formas de lidar com uma situação com mais criatividade se tivermos humildade, flexibilidade e vontade de viver novas experiências.

Eu não posso garantir que, seguindo o que os entrevistados disseram e com o que aprendi a partir da experiência com o burnout, seus dilemas vão acabar. Só informação não muda comportamento. Você vai precisar pôr a mão na consciência e a mão na massa. Vai ter que reduzir o que está em excesso na sua vida, e aí sim, em pouco tempo, sua sensação de que o tempo está voando vai melhorar. Tudo é temporário. E, diferente da internet, em que tudo chega rápido, nossas experiências, o que dá significado à vida, têm outro tempo. Aprendemos a viver o tempo das máquinas e não mais o tempo da natureza. Estamos seguindo um tempo preciso, totalmente diferente do tempo natural, mesmo sabendo que cada um de nós tem o seu próprio tempo. A qualquer momento podemos pensar em fugir de uma sala fechada para encontrarmos o oceano. Então, cada um no seu tempo.

Epílogo – Pare para pensar

> *Todos os dias quando acordo, não tenho mais o tempo que passou...*
> Legião Urbana

A covid-19, doença respiratória causada pelo novo coronavírus, tirou a vida de milhares de pessoas pelo mundo, lamentavelmente. Adiantou o fim de muitas histórias ao mesmo tempo em que antecipou o futuro em muitas áreas. Há muito tempo que não acontecia algo dessa proporção, a ponto de deixar a sociedade como a conhecemos de pernas para o ar. O que não se alterava há décadas e o que estava previsto para se concretizar em anos pela frente mudou em poucos dias. A Covid-19 foi um acelerador digital. A quarentena, que durou meses, alterou os compromissos e decisões de milhares de pessoas. Adiou o lançamento deste livro e de outros, assim como festas e casamentos não aconteceram, projetos e viagens não saíram do papel e até cirurgias foram canceladas. Com tudo isso, tive tempo de fazer este epílogo para validar o que escrevi até aqui com o que a vida, de forma urgente, está nos exigindo fazer: pausas voluntárias para escolhas fora do piloto automático.

Durante o isolamento ouvi centenas de pessoas dizendo que teriam que recuperar o tempo perdido, o que me preocupa bastante porque o tempo passado não volta. Ouvi também casos de pessoas que estavam:

- se cobrando demais, inseguras, aflitas e ansiosas com medo do desemprego, das crises financeiras, da violência, ou de adoecer, morrer ou perder pessoas próximas. Enfim, com medo do porvir;
- tristes ou diagnosticadas com depressão pela convivência com a solidão, perda da rotina e outros lutos individuais ou coletivos;
- estressadas e irritadas com tantas mudanças pessoais e políticas, overdose de notícias ruins, fake news e outras chamadas que, pela pressa e cobrança por uma vacina ou remédio, eram divulgadas e corrigidas na sequência, o que causava mais aflição;
- confusas com dinâmicas familiares difíceis e pela urgência de se ajustarem a um novo estilo de vida, sem chance de planejamento;
- dormindo mal, descontroladas na comida, bebida ou compras pela internet para preencher o vazio da desesperança.

Quem conseguiu buscar e acessar as informações corretas soube que muitas dessas reações já são esperadas durante uma pandemia e que, bem compreendidas e tratadas, podem passar sem provocar danos maiores, de acordo com o que diz a OMS. Percebi também que, quando o coronavírus se espalhou pelo país nos primeiros meses de 2020, muitas pessoas reclamaram daquilo que sempre pediram: mais tempo para se cuidar e ficar em casa. Antes, em uma segunda-feira qualquer, quantos, a caminho do trabalho, não pensavam em passar mais tempo com a família? A convivência entre pais, filhos e cônjuges, que antes era limitada a algumas rápidas horas do dia ou fins de semana também exigiu muitas adaptações, provocou separações — em maio de 2020, a busca on-line pelo termo divórcio aumentou quase 1000% em relação ao mesmo período do ano anterior — e o aumento generalizado de violência doméstica.

Outras controvérsias chamaram a atenção. De máscara, a maioria queria se proteger do vírus para não adoecer, mas muitos fumantes fumaram mais, alguns que já bebiam beberam mais, e assim se expuseram a outros riscos. Muita coisa que já não estava boa desandou, e o número de transtornos mentais — psiquiátricos e psicológicos — disparou. Não há números oficiais, mas a Associação Brasileira de Psiquiatria estima que quase 70% dos especialistas atenderam pacientes que nunca tinham apresentado sintomas de depressão ou de ansiedade. O secretário-geral da ONU, António Guterres, alertou que o novo coronavírus não atacou apenas a saúde física, mas também aumentou o sofrimento psicológico. "Problemas de saúde mental, incluindo depressão e ansiedade, são algumas das maiores causas de miséria no mundo. Mesmo quando a pandemia estiver controlada, a dor, a ansiedade e a depressão continuarão afetando pessoas e comunidades," destacou no site da Organização das Nações Unidas. Aliás, a OMS determina que é prioridade falar sobre saúde mental durante uma pandemia e que as consequências podem durar, em média, três anos após o fim dela.

Com isso, quem não acreditava nos problemas de saúde invisíveis como ansiedade, síndrome de burnout e depressão ganhou elementos para aceitar que o que a gente não vê é muito maior do que aquilo que a gente vê. Afinal, tivemos que nos isolar por causa de um vírus, uma ameaça que não enxergamos a olho nu, que podia ser combatido não com uma bomba, mas com água e sabão. Então, se antes saúde mental era o patinho feio das conversas, ficou evidente que o tema precisa fazer parte das pautas diárias, positivas, de prevenção e que não faz mais sentido preterir a saúde mental em relação à saúde física. Estamos falando de saúde. Ou seja, cuidar da mente é cuidar da vida, e se compreendermos os efeitos das emoções no nosso sistema biológico, as doenças psiquiátricas não serão mais chamadas de "frescura", muito menos de "coisa de louco" — um preconceito que ainda existe — e veremos que devem ser diagnosticadas e tratadas com o mesmo respeito e seriedade que qualquer outra enfermidade.

Caótico também foi saber que quem estava isolado dentro de casa reclamava por querer ir e vir normalmente. Já quem não teve chance de parar — como os profissionais de saúde, limpeza, lixeiros, atendentes de supermercado, por exemplo — sonhava estar protegido em seu lar. Algumas pessoas que puderam fazer home office se adaptaram bem; outros, não. O "não leve trabalho pra casa" ou "deixe os problemas pessoais da porta pra fora do trabalho" ficaram sem sentido porque a casa virou escritório e tudo se misturou. Sabemos que uma tela não substitui o olho no olho, mas os encontros digitais foram a forma de preencher o vazio do isolamento social. Alguns se atualizaram sobre ferramentas digitais para aulas e reuniões on-line e conseguiram ficar digitalmente perto — o que antes ainda estava sendo analisado por escolas e empresas teve que ser implantado em tempo recorde e, com isso, muitos professores e outros profissionais adoeceram pela carga excessiva de trabalho e desenvolveram a síndrome de burnout, outra epidemia oculta. Agora dentro de casa!

A saúde e a concentração foram colocadas à prova. Muitos se saíram bem, mas outros, não. No papel de educadores, muitos pais e mães surtaram, já outros, com mais condições e tempo, amaram a oportunidade de acompanhar de perto o crescimento e o desenvolvimento dos filhos. Vários profissionais também perceberam quanto tempo perdiam em reuniões presenciais, comemoraram o bônus de tempo que ganharam sem trânsito entre a casa e o trabalho, e compreenderam que já não estavam vivendo uma vida equilibrada, coerente ou que fazia sentido antes da pandemia. Refizeram suas agendas e seguiram em frente sem tanta preocupação. De modo geral, ficou evidente que cada um foi afetado de uma maneira pela mesma situação. Uns aproveitaram para estudar, se reciclar, outros paralisaram. Resistiram ou se adaptaram. Tudo isso me fez relembrar das aulas de português na escola, em que a atividade de interpretação de texto sempre gerava dezenas de visões sobre a mesma história. Tudo dependia do nosso repertório, crenças e vieses cognitivos.

Enfim, foi um choque de realidade, e com o coronavírus a ficha caiu. Aquela mudança de estilo de vida que estava sendo protelada aconteceu. Muitos já estavam insatisfeitos. Fazia tempo que não podiam mais se enganar. E o que a vida pediu? O que já vinha pedindo: uma pausa para pensar, que de tão simples, chega a ser inconveniente. A vida nos pediu calma!

> Não adianta entender um monte de coisas e não se entender.

O mundo seguiu independentemente da nossa indignação e, inclusive, a natureza mostrou que se regenera muito bem sem nós, como vimos com a diminuição da poluição no ar e nos oceanos, por exemplo. Assim como a natureza — que também é um combustível para o nosso tanque de bem-estar — com uma pausa, também podemos nos regenerar, se o autocuidado não perder espaço. Ele nunca sairá de moda porque a forma como nos cuidamos interfere totalmente no modo como interagimos com todos, mesmo que isso não fique bem claro no início. Autocuidado é quando só você pode fazer por você o que tem que ser feito para você! Aliás, há quanto tempo você não diz: esse momento é meu? O autocuidado vem do autoconhecimento, que eleva a autoestima e contribui imensamente para o autogerenciamento. Inclusive, vou insistir: deixe espaço na sua agenda para os imprevistos. Isso vai te angustiar menos.

Não sinta culpa em se colocar na agenda. Não sinta culpa em se cuidar e ter tempo pra você. Afinal, você convive com você mesmo 24 horas por dia. Ao mesmo tempo, não sinta culpa se não conseguir fazer todas as mudanças de uma vez. Tem faxinas que demoram mais tempo do que outras. É preciso humildade e maturidade para entender que mesmo com o acesso a uma informação que fez sentido, a mudança pode não acontecer imediatamente. As palavras são sementes e elas vão precisar de tempo para germinar, e você partir para a ação. Seja honesto consigo e não negligencie o que você sabe que precisa fazer.

Quem já se cuidava antes da pandemia reagiu melhor a tudo. De hábitos e cuidados com a saúde a dinheiro. Quem já tinha uma reserva, por exemplo, passou menos aperto. "A educação financeira se mostrou mais indispensável do que nunca. Se antes ninguém falava sobre isso, afinal, nos ensinam a ganhar, mas não nos ensinam a gastar, a partir de agora teremos que honrar o dinheiro que recebemos em troca do trabalho e entender que o problema não é o que se ganha, mas o que se gasta. Assim, vamos começar a guardar o que for possível para qualquer emergência e para as próximas crises que devem surgir", explica Thiago Godoy, mestre em educação financeira.

Daqui por diante, com essas experiências, você sabe que mesmo planejando tudo direitinho, terá que levar a sério a possibilidade de muitos imprevistos pelo caminho, já que temos muito menos controle sobre as coisas do que pensamos. Sonhe, coloque metas, mas seja flexível. As inseguranças econômicas, sociais e a competitividade vão continuar, assim como a velocidade só tende a aumentar. Em toda a história da humanidade sempre fomos desafiados e isso não muda com a Covid-19. Independentemente de qualquer mudança externa, vamos precisar de uma pausa e ajustes internos. De nada adianta o mundo parar lá fora se eu não parar um pouco aqui dentro para pensar. Se fora está empobrecido e congestionado, cada um pode se organizar internamente e se imunizar, se fortalecer. Isso significa realmente viver o presente. Sem ficar lembrando ou planejando o tempo inteiro.

A curiosidade, criatividade, bom humor e jogo de cintura podem te ajudar a passar pelas instabilidades, inclusive pra ficar no olho do furacão. Sim, no centro de um furacão não acontece nada, a baixa pressão quente é estável. Os ventos e temporais se anulam. Enquanto o turbilhão fica em volta, no meio você pode se proteger, se permitir cuidar de si e, se souber, reencontrar seu eixo. É essa imagem que eu gostaria que você levasse adiante. Mesmo com tantas turbulências podemos manter o equilíbrio na maior parte do tempo, estabilizando as emoções, domando os pensamentos que são apenas pensamentos e não verdades absolutas. Aliás, qual verdade é absoluta? A era é de mudanças ou estamos numa mudança de era?

> Por uma vida com mais autoconsciência, não podemos mais conviver com pensamentos e condutas antigas diante de um mundo novo.

Com o tempo de isolamento fui entendendo que o que era importante se tornou crítico. Boa parte das soluções do passado não serviram para os problemas do presente e não servirão mais para as situações do futuro. Esse é mais um estímulo para revisarmos crenças e comportamentos. "Todos nós, humanos, desejamos o novo. Porém quase ninguém deseja ser a vanguarda e o pioneirismo. A mudança incomoda, explora o invisível, expande a consciência e é um esforço utópico. Estes espaços despertam o medo para muitos e inspiração para poucos. Em uma mudança de era precisamos escolher ser protagonista ou ser levado pelas circunstâncias," defende Gil Giardelli, educador e difusor de conceitos ligados à inovação.

Independentemente do que aconteça, para um futuro que faça sentido para você, inclusivo e abundante, você vai precisar de pausas, de vários tempos, para escolher que tipo de filtro você vai querer usar, positivo ou negativo, para as escolhas que fizer. A felicidade não é a ausência de problema e é uma ilusão pensar que não existe vida sem dor e sem medo. Antes que seja tarde, pare para pensar: o que você busca de verdade e o que é essencial na sua vida? O que é preciso fazer para colocar o seu tempo em ordem?

Você se lembra de que falei sobre autogerenciamento no início deste livro? Você vai precisar de uma pausa para responder as perguntas mais importantes da sua vida. Aguarde o tempo, na certeza de que, pelas circunstâncias da vida, nas páginas do tempo, é que se manifesta mais claramente a voz que você precisa ouvir. Confie na sua intuição e não desista. Você pode chegar ao lugar mais longe que poderia: dentro de você. Não culpe o destino por nada e lembre-se: você é o piloto do seu próprio tempo. Dá um tempo pra você, leve apenas o necessário e boa viagem!

Agradecimentos

Da ideia à publicação de um livro, muitas pessoas passam pela vida do autor e algumas são essenciais para que tudo transcorra bem. Por isso, agradeço primeiramente ao profissional mais compreensivo que conheci nos últimos anos. Mauro Palermo, diretor da Globo Livros, obrigada pelo apoio, confiança e correção da rota. Você é um líder que todos deveriam ter por perto.

Ao Lucas de Sena Lima, o incansável e amável editor que colocou ordem no meu tempo e nas revisões deste livro nos últimos anos. Obrigada por não ter desistido! E à Melissa Leite e Camila Werner, editoras que me ajudaram no início da elaboração deste projeto.

Agradeço a todos os entrevistados que doaram tempo para costurarmos tantos pedacinhos do inexplicável tecido universal que é o tempo. Foram 150 entrevistas oficiais com hora marcada e mais algumas centenas informais, porque, quando se está com o radar ligado, tudo é motivo para puxar papo e descobrir qual é a visão do outro para um problema que você está tentando decifrar. Aliás, todas as interpretações das entrevistas são de minha responsabilidade. Se em alguma não consegui expressar corretamente as ideias, peço sinceras desculpas.

Agradeço à minha mãe, Luzia, que, tendo o nome da santa protetora dos olhos, sempre me faz olhar com respeito para os aprendizados da vida e me ensinou que a escolha pelo ângulo positivo é apenas minha. Que os Spaggiari sempre buscaram o progresso, mesmo diante das dificuldades e adversidades sociais. Cair e levantar, mesmo com lágrimas nos olhos, sempre foi a melhor alternativa.

Ao meu pai, professor José Brazil Camargo, que, estando vivo em outra dimensão, frequentemente me inspira, e por ter deixado no meu DNA o amor pela leitura, pela escrita e pelo cuidado com o próximo.

À vovó Cocola, que ensinou a centenas de alunos e a mim que "o mestre é como a vela, consome-se iluminando".

Ao meu marido, Thiago Godoy, que simplesmente chegou na hora certa para me salvar de algo pior do que a síndrome de burnout. Chegou a tempo de me devolver a vida e o amor.

Agradeço a todos que foram acolhedores com a minha ausência ou sempre rápida presença nos últimos anos. A compreensão de toda a minha família, amigos e amigas que estiveram comigo nessa jornada e a ajuda que recebi de todos os médicos, guias espirituais e terapeutas. Todos vocês me deixaram mais forte.

Agradeço a você, que acreditou em mim e chegou até aqui.

Desejo que o tempo sempre esteja a seu favor!

Este livro foi composto na fonte Fairfield e
impresso em papel offset 90g/m², na Corprint.
São Paulo, julho de 2023.